... diário de UMA ...
treinadora de pais

JENNY SMITH

... diário de uma ...
treinadora de pais

Tradução de
MARIA P. DE LIMA

1ª edição

RIO DE JANEIRO
2014

CIP-BRASIL. CATALOGAÇÃO NA PUBLICAÇÃO
SINDICATO NACIONAL DOS EDITORES DE LIVROS, RJ

Smith, Jenny
S646d   Diário de uma treinadora de pais / Jenny Smith; tradução
Maria P. de Lima. – 1ª ed. – Rio de Janeiro: Galera Record, 2014.

Tradução de: Diary of a parent trainer
ISBN 978-85-01-09925-9

1. Ficção infantojuvenil escocesa. I. Lima, Maria P. de. II. Título.

13-07041

CDD: 028.5
CDU: 087.5

Título original em inglês:
Diary of a parent trainer

Copyright © Jenny Smith 2011

Copyright da tradução © Maria P. de Lima, 2013

Todos os direitos reservados. Proibida a reprodução, no todo ou em parte, através de quaisquer meios. Os direitos morais do autor foram assegurados.

Texto revisado segundo o novo Acordo Ortográfico da Língua Portuguesa.

Direitos exclusivos de publicação em língua portuguesa somente para o Brasil adquiridos pela
EDITORA RECORD LTDA.
Rua Argentina, 171 – Rio de Janeiro, RJ – 20921-380 – Tel.: 2585-2000, que se reserva a propriedade literária desta tradução.

Impresso no Brasil

ISBN: 978-85-01-09925-9

Seja um leitor preferencial Record.
Cadastre-se e receba informações sobre nossos lançamentos e nossas promoções.

EDITORA AFILIADA

Atendimento e venda direta ao leitor:
mdireto@record.com.br ou (21) 2585-2002.

*Para minha linda mãe, com
amor e gratidão.*

Beijos

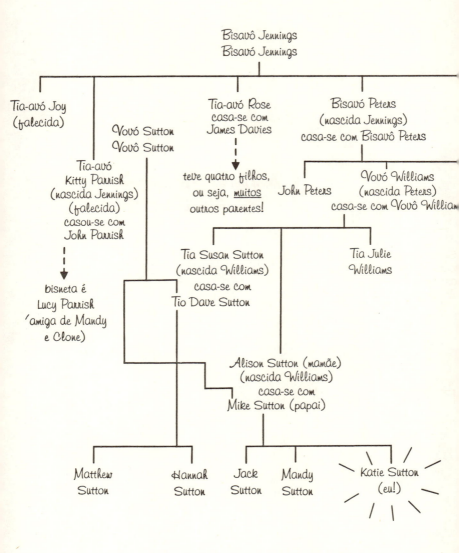

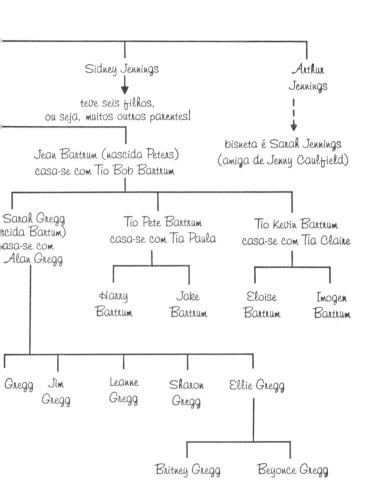

> **PARABÉNS!**
> Você é dono de pelo menos um Adulto. É provável que você tenha esse Adulto há bastante tempo, possivelmente por toda a vida. Agora, finalmente, você vai descobrir as habilidades necessárias para operá-lo com sucesso.

Este guia do usuário é simples de ser seguido e vai ajudar você a:

* Conseguir um ótimo desempenho do seu Adulto ou Adultos;
* Fazer manutenção imediata e reparos;
* Garantir uma operação tranquila na maioria das situações.

CUIDADO

Seu Adulto reúne diversos modos e funções complexas. É ESSENCIAL uma familiarização com estas antes de testar manobras difíceis.

ANTES DE USAR SEU ADULTO

Leia este guia. Contém informações detalhadas sobre a operação e o cuidado com seu Adulto. Mantenha-o em um lugar seguro e de fácil acesso para consulta futura.

Terça-feira, 28 de julho, 16:23

Caso você esteja imaginando quem é o gênio ainda não descoberto que está escrevendo esse manual do usuário, sou eu!

Meu nome é Katie Sutton. Tenho 13 anos e talvez, muito possivelmente, eu seja uma das maiores autoridades mundiais sobre comportamento dos Adultos. Por muitos anos, tenho estudado seus estranhos modos e funções — tanto em seu habitat natural quanto em cativeiro.

Gosto de pensar que sou como o famoso especialista da vida selvagem David Attenborough — só que, em vez de estudar os macacos, as hienas e os morcegos frugívoros, estou estudando minha mãe, minha avó e minha tia Julie.

Meus estudos com elas, e com outros Adultos que encontrei, me levaram a escrever este excelente guia. Afinal de contas, alguém precisa... E quem melhor que uma especialista em comportamento de Adultos como eu para isso? Sabe, lá fora é uma selva. Uma selva *repleta* de Adultos. E, de acordo com a lei da selva, ou você caça ou é caçado...

Neste abrangente guia, vou dividir com você meu conhecimento secreto em relação aos Adultos, conquistado ao longo de anos de muito estudo e diversas experiências.

Você também pode se tornar extremamente habilidoso em:

1) Entender o comportamento insano dos Adultos;

2) Prever seus próximos passos;

3) Operá-los de forma a ter benefícios melhores.

Com minha ajuda, posso garantir que você ficará um passo à frente do seu Adulto, então poderá sobreviver à esquisitice constrangedora deles. Não é demais?

Você provavelmente acha que um gênio (ainda) não descoberto e possivelmente especialista mundial deveria viver em um lugar interessante e estimulante — em uma grande e animadora cidade ou, se isso não funcionar, em qualquer cidade grande o bastante para ter um shopping. Infelizmente, não tenho tanta sorte. Vivo em Brindleton, eleita a "Cidade Mais Chata do Condado de Oxford" em uma recente pesquisa (coordenada por mim).

Brindleton não é a pacata e bela cidadezinha que você imaginaria. É um lugar desordenado: uma mistura de chalés, casas de tijolo sofisticadas que se destacam e milhões de ex-casas populares e casas populares — como a nossa.

Moro com minha mãe, minha irmã mais velha, Mandy — ela tem 15 anos —, e meu irmão mais novo Jack, de 8 anos. Meu pai não está mais entre nós. O último integrante de nossa família é Rascal. Ele é um west highland terrier de 12 anos, o que significa 84 para um humano! Ele é um pequeno monte mal-ajambrado de pelos com hilárias orelhas pontudas, e seu hobby favorito é lamber o rosto das pessoas.

Assim como minha mãe, Mandy, Jack e Rascal, os outros integrantes da minha enorme família estendida também moram na cidade. Por algum motivo, *dificilmente alguém sai dali*. É esquisito, mas também é verdade. Por um lado, é ótimo para um estudo científico. Por outro, não posso descer a rua sem ser abordada por pelo menos uma das minhas tias. Não posso ir aos loteamentos, ao parque, às lojas... ou a qualquer lugar sem dar de cara com alguém que compartilhe meus genes.

Minha avó (a mãe da minha mãe) trabalha no mercadinho. E não consigo ir lá sem que ela meta seu muito intrometido nariz na minha vida. Nada é sagrado, acredite.

Essa manhã, por exemplo... Fui comprar sorvete. Com uma expressão sombria, vovó Williams estava empilhando rolos de papel higiênico no formato de uma pirâmide. Tentei entrar sem que ela me visse, mas não deu certo.

— Ouvi dizer que seu irmão está MAL DO ESTÔMAGO! — gritou ela a plenos pulmões, de modo que qualquer um que estivesse a cinco quilômetros dali poderia ouvir. — Sua tia Susan me contou. Como ele está, melhorando?

— Sim — sussurrei, o rosto queimando de vergonha.

— Que bagunça! E você, Katie, teve diarreia?

Privacidade não existe quando se vive em Brindleton.

Ainda assim, "tudo tem seu lado positivo", como diria minha avó. Viver cercada por tantos adultos que pensam ter o direito de divulgar os trágicos detalhes da minha vida e comentar sobre tudo que eu faço é difícil. Mas isso me forçou a desenvolver algumas habilidades vitais e técnicas, as quais vou partilhar com você neste brilhante e útil guia.

DICA ÚTIL

Uma forma de impedir os adultos de descobrirem seu grande plano diabólico para a Dominação dos Adultos é encapar este guia com papel pardo e escrever na frente de marcador preto: "Equações matemáticas de nível superior". Seu Adulto ficará feliz e orgulhoso quando vir você com o nariz enfiado num livro assim.

Esse é exatamente o tipo de dica incrível que o deixa em vantagem ao lidar com Adultos.

Você deve estar se perguntando por que deveria acreditar em uma única palavra do que digo, então imagino que eu deva contar um pouco mais sobre mim. Sou uma adolescente comum. Tenho um metro e meio de altura, olhos verdes e cabelos pretos lisos na altura dos ombros que se enroscam nas minhas orelhas de um jeito desinteressante. Acho que meu queixo é um pouco pontudo demais, algo característico da minha família. Brindleton é repleta de pessoas com queixos pontudos. Tenho pernas horrivelmente finas, que já foram comparadas a palitinhos de biscoito (Stiksy) devido aos meus joelhos salientes.

Mamãe diz que minha aparência é "interessante", e esse é seu jeito de não mencionar que não sou tão bonita quanto minha prima, Hannah, que tem cabelos louros compridos e um nariz perfeito — mas Hannah também é minha melhor amiga no mundo inteiro, então não tem problema.

Minha outra melhor amiga no mundo inteiro é Louise (mas a chamamos de Loops porque ela tem cabelos ruivos bem encaracolados). Hannah e Loops são totalmente incríveis e maravilhosas de todas as maneiras. Elas me fazem rir tanto que às vezes sai um pouco de meleca voando do meu nariz.

Mas agora é o momento de fazer uma confissão. Embora eu possa me considerar uma especialista mundial em lidar com um Adulto (o que parece um pouquinho prepotente, devo admitir), *nem sempre sou uma especialista em lidar comigo mesma.*

Não tenho muita coordenação. Ou, como diria Hannah, sou muito desastrada. Estou sempre tropeçando no ônibus escolar ou esbarrando nas pessoas quando estou com pressa para chegar à próxima aula, e deixando meus livros caírem pelo chão.

E agora que sou adolescente, sempre tenho aqueles dias de "a maldição da espinha gigante", quando preciso esconder atrás do fichário meu queixo pontudo, meu nariz ou qualquer parte do meu rosto atingida pela maldição.

Por fim, tenho uma tendência a me envolver em situações ridiculamente constrangedoras. Por exemplo, no meu último ano do ensino fundamental, cheguei à escola fantasiada para a caridade... *uma semana antes.* Ainda me sinto profundamente traumatizada ao me lembrar de mim mesma vestida de palhaço — a fantasia completa, com gravata-borboleta e sapatos imensos.

Mas isso não é nada comparado a como costumo ficar constrangida quando estou perto de uma certa pessoa. Quando ele está por perto, eu funciono muito mal.

Isso é porque estou Oficialmente Apaixonada.

O sortudo (rá rá rá) é o insuportável e inacreditavelmente delicioso Ben Clayden, que não sabe que existo apesar de eu e Hannah o perseguirmos sempre pela cidade e pela escola. Hannah está Oficialmente Apaixonada por ele também, mas combinamos que — praticamente impossível — se por acaso uma de nós conseguir conquistá-lo, a outra vai se tornar uma freira desdentada e careca no Himalaia.

A FICHA DE BEN CLAYDEN:
- Três anos à nossa frente na escola;
- Tem quase 16 anos;
- Vive no lado sofisticado da cidade porque os pais são médicos;
- É a pessoa mais atraente de Brindleton, e possivelmente do mundo;
- É brilhante em Artes. Provavelmente melhor do que Leonardo da Vinci ou Picasso;
- NÃO TEM PARENTESCO ALGUM CONOSCO!

Este último ponto é um grande bônus, acredite — e muito provavelmente um milagre, considerando que nossa família inteira vive aqui. Mesmo que Ben Clayden tivesse alguma deformidade horrível, ainda assim o consideraríamos para procriação porque ele não tem nosso sangue.

Mas ele não é horroroso, bem longe disso. Ele é alto e atlético, tem cabelos dourado-escuros e olhos adoráveis — um tom de azul profundo no qual você poderia se perder. E o queixo dele não é nem um pouquinho pontudo! Se ele fosse ao X-Factor, ganharia mesmo se cantasse como um gato sendo estrangulado, porque todas as meninas, mães e avós do país votariam nele.

Ele é *tão bonito*! Quando o vejo, começo a hiperventilar. Às vezes, quando passamos por ele, Hannah precisa me lembrar de respirar.

Estarmos apaixonadas por Ben Clayden arruinou nossas vidas. Ninguém mais chega aos pés de tamanha perfeição.

Por exemplo, eu já tive algo com Thomas Finch. O amigo dele, Neil Parkhouse, pediu a Hannah que me perguntasse se eu seria namorada de Thomas e eu disse que sim, mas, depois disso, *nós nunca nos falamos* — não é loucura? Sei que ele gostava de mim. Uma vez, durante a aula de matemática, ele escreveu meu nome no braço com caneta.

Thomas Finch tem uma expressão adorável de cachorrinho abandonado, olhos marrons chocolate e um cabelo castanho bagunçado. Mas, como ele nunca trocou uma palavra comigo, aquela coisa de namorado era muito esquisita. Eu terminei com ele às vésperas das férias de verão.

Foi covarde a forma que escolhi para fazê-lo:

EU: Hannah, você pode dizer a Thomas Finch que não estou mais namorando com ele?

HANNAH: Não. Diga você mesma. Não é justo fazer com que alguém faça isso para você. Se alguém terminasse comigo, eu gostaria que a própria pessoa o fizesse e não que mandasse um amigo fazer o trabalho sujo!

EU: Loops, você diria a Thomas Finch que não estou mais namorando com ele?

LOOPS: OK.

(Loops vai até Thomas Finch.)

LOOPS: Katie disse que não está mais namorando com você.

THOMAS FINCH: Oh.

Thomas não falou comigo desde então (nada mudou, não é?!), e eu não o vejo há tempos. Acho que ele foi para a Espanha nas férias.

Talvez eu não devesse ter terminado com Thomas. É bem legal ter um namorado; faz você parecer mais popular. Pode achar que eu nunca me importei com ele, mas não é verdade. Para ser sincera, eu realmente gostava de Thomas, mas ele não devia gostar tanto de mim, ou teria arrumado um jeito de me dizer *alguma coisa*. É meu destino: estou fadada a ficar sozinha, careca e desdentada...

Só se passaram algumas semanas das férias de verão e está sendo muito bom ficar à toa, escrever este manual e não ter que pensar em deveres, professores ou na minha terrível prima de segundo grau, Leanne (minha arqui-inimiga).

Apesar de viver em Brindleton, ter cerca de cem parentes observando meus passos, possuir pernas bizarramente finas e não ser namorada de Ben Clayden, entre outras coisas, está tudo bem na minha vida agora.

A vida é boa quando se está no controle.

Quinta-feira, 30 de julho, 14:20

> ## CONHECENDO O SEU ADULTO
>
> *É primordial conhecer bem o seu modelo de Adulto antes de tentar operá-lo. Tome notas dos hábitos mais comuns, das rotinas e de qualquer problema recorrente.*
>
> *Logo você será capaz de antecipar grande parte das ações do seu Adulto e poderá tomar as medidas necessárias para que ele trabalhe em seu benefício.*

Eu tive que usar essa frase: "Conhecendo o seu Adulto." Muitos guias a usam: "Conhecendo a sua secadora" de roupas ou "Conhecendo o seu cortador de grama", mas o que os fabricantes esperam? Que você troque experiências de vida com sua torradeira e depois a convide para sair? Não é uma má ideia, na verdade — no fim do encontro, você terá a garantia de uma deliciosa fatia de torrada com manteiga.

LEMBRETE PARA MIM MESMA

Montar um site chamado www.saiacomasuatorradeira.com

Mas a tal frase que começa com "Conhecendo" está muito bem empregada quando se trata dos Adultos.

Para operá-los da maneira correta, é preciso conhecer todas as maravilhosas e esquisitas manias dos Adultos. Aprender a lidar com eles é tipo mil vezes mais complicado do que aprender a usar um eletrodoméstico comum, porque os Adultos não vêm com uma lista de "características do produto" e não são fabricados em uma linha de montagem, por isso são todos diferentes! Para completar, enquanto uma torradeira tem apenas alguns botões para apertar, Adultos têm *centenas*.

Você pode achar que não precisa conhecer o seu Adulto. Se ele está presente desde que trocava suas fraldas, você provavelmente acha que o entende e que conhece suas manias engraçadinhas muito bem. Mas é exatamente aí que você se engana...

Fui interrompida. Estou escrevendo isto no quarto que divido com Mandy. É um cômodo tão pequeno que chamamos de... quartinho, claro! Estou enrolada na cama de baixo do beliche, que vem a ser o único espaço privado que tenho no mundo. Só que não é tão privado assim. Mandy acabou de invadi-lo procurando pelo *gloss* dela.

— Você roubou meu *gloss*? — Foram as primeiras palavras dela (nada surpreendente). Mandy sempre me acusa de roubar coisas dela.

— Não, não roubei o seu *gloss* idiota. Está na cômoda. Ela o pegou.

— O que você está fazendo? Escrevendo sobre a sua vida interessante? — perguntou ela no melhor tom de sarcasmo, saindo do quarto.

Eu nem me incomodei em responder. Como se isto aqui fosse apenas um diário. Mandy não faz *ideia* da importância do meu trabalho.

Então, voltando à importância dos Adultos e suas manias estranhas. Talvez você já o conheça por fora, de trás para frente e pelos lados... mas pode haver mais do que você pensa. E, se reservar um tempo para estudá-lo de verdade, ele pode te surpreender. É meio como papel de parede: se você ficar olhando por muito tempo, vai começar a ver mais e mais padrões.

DICA ÚTIL

Enxergue além das manchas aleatórias do seu Adulto. Veja os padrões. Assim você pode ficar um passo à frente dele.

Estou me aperfeiçoando muito em analisar o comportamento da minha mãe. Sei o que cada um das suas centenas de botões faz. Pode-se dizer que tenho Mestrado em Estudos Maternos. Certamente mereço um desses; eu me esforcei muito até ter certeza de que consigo prever cada um de seus passos.

Conheço todas as manias e rotinas da minha mãe. Tipo, todo sábado pela manhã ela se levanta antes de todos nós, porque gosta de ficar um tempo na cozinha completamente sozinha, ouvindo suas músicas favoritas — coisas como Blur, The Lightning Seeds, e Abba, ou qualquer coisa do Tom Jones. Se for inverno, ela estará usando um suéter velho do papai por cima do pijama.

Ela usa esse tempo para organizar as coisas na cabeça. Eu aprendi que ela realmente precisa desse tempo sozinha e que *nunca* devemos interrompê-la. Se a deixarmos um pouco sozinha com seus pensamentos, ela fica muito mais bem-humorada pelo restante do dia.

O que mais ela faz? Ela gosta de passar roupa, o que é estranho. Ela ajusta os pés da tábua para poder passar roupa enquanto assiste a televisão. Esse é sempre um bom momento para conversar sobre qualquer coisa que esteja me incomodando, porque ela está relaxada. É como se ela tivesse todo o tempo do mundo, talvez porque ela sempre tem pilhas e pilhas de roupa para passar.

Ela também passa a roupa do nosso vizinho, Sr. Cooper (ou Esquisitão Cooper, como costumamos chamá-lo, porque ele usa um chinelo horroroso e mora sozinho). Ele paga vinte libras por semana para minha mãe passar suas camisas e calças. Minha mãe deposita esse dinheiro em uma conta que ela chama de "dinheiro para dias de tempestade". Ela passa as roupas dele há dois anos, então deve ter mais de duas mil libras guardadas! Fico pensando no que faremos com esse...

Quer saber o que eu gostaria de fazer? Gostaria que fôssemos a algum lugar quente, algum lugar que não fosse Brindleton. Areia branca, céu azul, ondas quebrando suavemente na costa. Infelizmente, como mamãe se refere às economias como "dinheiro para dias de tempestade", imagino que ela tenha coisas mais práticas em mente, tipo consertar o teto de casa se ele furar ou qualquer tragédia parecida.

A rotina da mamãe é sempre a mesma, e ela é bem previsível. Ela é instrutora de Pilates, de aeróbica e personal trainer, por isso pode ser encontrada no centro de lazer ou fazendo exercícios cardiopulmonares com um cliente no parque. Se ela não estiver nesses lugares, estará em casa lavando, passando ou cozinhando (embora eu não costume encorajar a última atividade, porque a comida que a minha mãe faz é terrivelmente ruim. Ela é conhecida por ter conseguido queimar um ovo cozido). Uma vez por mês, aos sábados, ela nos leva para fazer compras em Oxford, e toda sexta-feira à noite minha tia Julie vem fazer companhia para minha mãe enquanto durmo na casa da Hannah, Mandy sai com as amigas e Jack fica dormindo.

Conhecer essas rotinas faz com que operar minha mãe seja bem fácil.

Talvez você não tenha tanta sorte; talvez o seu Adulto esteja em todos os lugares, sendo completamente inconstante. Se for assim, tente identificar algum tipo de padrão — mas talvez você só tenha que usar seus instintos e sua astúcia para entender quando é melhor se aproximar e quando é melhor se afastar dele.

Em alguns momentos, fica óbvio que você deve se aproximar de um Adulto, tipo quando eles estão no Modo Feliz. Mas é sempre prudente ter algo preparado mais à frente durante a aproximação para garantir que eles serão receptivos às suas exigências.

DICA ÚTIL

Preparação é essencial. Pesquise e NÃO DEIXE nada ao acaso.

Levo a preparação muito a sério. Por exemplo, uma semana antes de irmos a Oxford com a minha mãe no passeio mensal de compras, começo a ajudar mais nas tarefas de casa para garantir que ela será amável comigo e se sentirá agradecida quando eu disser que quero sapatos novos. Sempre funciona, a não ser que estejamos completamente falidos. Então, só por ter passado um pouquinho de aspirador na casa, eu ganho os sapatos ou outra coisa igualmente essencial para a minha felicidade.

Sei que essa técnica funciona com a minha mãe porque passar o aspirador é o que ela mais detesta entre as tarefas domésticas. Entretanto, isso pode ou não funcionar com o seu Adulto — mais uma razão para você realmente "conhecê-lo".

ATENÇÃO

Você pode ter se preparado por semanas e decidido que aquele é o momento certo para a sua manobra operacional, mas ATENÇÃO: Adultos, infelizmente, são influenciados com facilidade por outros Adultos.

Vovó Sutton (a mãe do meu pai) acredita que as crianças devem ser vistas mas não ouvidas, e provavelmente gostaria que todos ainda fôssemos mandados para chaminés ou minas de carvão. De MANEIRA ALGUMA eu tentaria operar a minha mãe a meu favor com a vovó Sutton por perto. Se eu tentasse, ela faria algum comentário inútil sobre como eu deveria ser grata simplesmente por ter onde morar e minha mãe concordaria com ela imediatamente.

Minha tia Julie, entretanto, é o oposto da minha avó e certamente alguém que eu estimulo a visitar. Ela sempre diz para a minha mãe pegar leve com a gente.

Tia Julie é obcecada pelo Take That há anos e acho que é por isso que ela nunca deixou de se comportar como uma adolescente. É culpa do Take That ela ter quase *40 anos* e ainda morar sozinha, sonhando com o dia em que vai encontrar o homem perfeito.

Como alguém pode crescer se ainda tem um pôster do Gary Barlow na parede do quarto? Na idade dela, isso é triste *demais*, não?

Ela frequenta sites de relacionamento e fica toda animada por causa de algum homem maravilhoso. Então, quando o conhece, ele nunca se parece com a foto e quase sempre é maluco ou pervertido.

Quando tia Julie vem nos visitar às sextas, ela obriga minha mãe a beber pelo menos uma taça de vinho. Depois conta suas últimas aventuras no mundo dos relacionamentos virtuais. Acho que a minha mãe gosta de ouvir as histórias da tia Julie — elas certamente a fazem rir, de qualquer maneira. Acho que também fazem com que minha mãe se sinta feliz por não ter que se preocupar com essa coisa toda de namoro.

Depois que a tia Julie chega e o vinho é servido, mas antes que eu saia para minha noite semanal na casa da Hannah, é quando tenho minha Janela de Oportunidade. É quando a minha mãe está desarmada, e é a melhor hora para esclarecer algo de errado que eu tenha feito. Sei que a minha tia vai rir e encorajar mamãe a fazer o mesmo.

DICA ÚTIL

Todos os Adultos se comportam melhor e são muito mais razoáveis na frente de outras pessoas. Dificilmente eles vão te perseguir com um cutelo de açougueiro se houver testemunhas por perto. Em momentos de crise, lembre-se dessa informação.

Usei a Janela de Oportunidade recentemente para contar à minha mãe que eu havia quebrado seu terceiro colar favorito. A conversa fluiu assim:

EU: Mãe, você não está achando seu colar, não é?

MÃE: Sim, o de contas azuis.

EU: Bem, ele não está perdido. Eu o quebrei, mas estava com medo de te contar e joguei ele fora.

(Pausa longa e assustadora.)

MÃE: Eu _não_ acredito! Quantas vezes já _pedi_ para você ser mais responsável? Eu _realmente_ gostava daquele colar.

EU: Desculpa, mãe. Foi um acidente.

(Outra pausa longa e assustadora.)

TIA J: Lembra de quando você pintou a melhor blusa da mamãe com batom? Ela nunca conseguiu tirar as manchas, conseguiu?

MÃE: Eu tinha 2 anos na época! Katie tem *13*, já deveria ter mais responsabilidade.

TIA J: Bem, pelo menos ela assumiu e pediu desculpas, não é? Foi mais do que nós duas fizemos quando quebramos a câmera do papai. Nós nunca confessamos aquilo! Sabe, você não pode se estressar tanto com as coisas, Alison. Vamos lá, tome mais um pouco de vinho!

MÃE (relutante): Bem, que bom que você se desculpou...

Acho que tenho sorte com a minha mãe. Sei exatamente em que pé estou com ela, e isso é muito útil — de um ponto de vista operacional.

Um maravilhoso par de sapatos em troca de passar o aspirador. Escapar de um grande crime sem punição... *simplesmente* o tipo de resultado que você também pode conseguir se conhecer as rotinas do seu Adulto, seus modos e suas funções. Depois que você aprende a apertar os botões certos, é fácil.

Acredite em mim, você vai achar este guia indispensável!

Sábado, 1º de agosto, 17:21

MEIO AMBIENTE

Evite colocar o seu Adulto onde ele possa se molhar ou sentir muito calor ou muito frio. Condições extremas farão com que o seu Adulto entre no Modo Ranzinza, e isso pode prejudicar as funções dele.

IMPORTANTE

NÃO conecte o seu Adulto a um gerador de eletricidade.
NÃO apoie nem deixe cair qualquer objeto pesado sobre o seu Adulto.
NÃO deixe que crianças pequenas operem o seu Adulto.
NÃO lave o seu Adulto a seco.
NÃO escreva nem use tinta na superfície do seu Adulto.
NÃO guarde o seu Adulto na geladeira.
NUNCA opere seu Adulto durante uma tempestade.

Existem inúmeras outras coisas que você não deve fazer com o seu Adulto, como deixá-lo abandonado na autoestrada ou colocá-lo no correio. Tenho certeza de que você é sensível o bastante para entender isso por si mesmo. Basicamente, tente não descartá-lo. Eles não serão úteis se estiverem quebrados, não é mesmo?

É muito importante que o seu Adulto esteja confortável em seu ambiente. Se não, ele estará praticamente todo o tempo no Modo Ranzinza.

MODO RANZINZA

O Modo Ranzinza é um dos mais fáceis de identificar, porque qualquer coisa vai incomodar seu Adulto quando ele estiver assim.

Se o seu Adulto estiver no Modo Ranzinza, então NÃO — repetindo: NÃO — peça nada a ele. Porque, mesmo se você perguntar se pode ir a Londres para receber a Medalha da Bravura do Primeiro Ministro por ter salvado a vida de um monte de gente, ele provavelmente dirá não.

O melhor a ser feito quando o seu Adulto está no Modo Ranzinza é usar uma única técnica: evitar até que aquilo tenha passado. Preste atenção ao lugar da casa onde ele está (é fácil, basta notar as portas batendo, gavetas de talheres chacoalhando e resmungos zangados) e faça o possível para ficar bem longe.

Como acontece com qualquer Adulto, quando sua mãe está no Modo Ranzinza, ela fica completamente irracional. Eu aprendi da pior forma a evitá-la, ou então a usar a mais avançada técnica de alteração de modo.

Minha mãe esteve no Modo Ranzinza a maior parte do dia, principalmente porque Jack Envergonhou

Nossa Família, e foi bem chato, porque é sábado. Se mamãe estiver no Modo Feliz no sábado, às vezes ela leva Rascal para passear e me deixa fazer o que eu quiser. Se ela estiver no Modo Ranzinza, não tenho chance alguma e ela vai arrumar um monte de tarefas para mim de propósito.

Tudo começou quando uma ligação interrompeu o momento tranquilo da minha mãe com suas cerâmicas. Era a bibliotecária dizendo que ela precisa pagar uma multa gigantesca porque Jack não havia devolvido uma pilha inteira de livros do *Doctor Who*.

Quando chegamos à biblioteca, a moça que estava trabalhando naquele horário era uma prima distante da minha mãe, do lado mais metido da família. Dava para perceber pela maneira como ela nos olhava com um olhar superior que desaprovava:

a) a alta multa;

b) os "não muito intelectuais" livros do *Doctor Who*;

c) o cabelo de Jack, que parece bagunçado não importa quantas vezes minha mãe o penteie.

Perto das revistas havia um grupo de senhoras, entre elas a vovó Sutton. Ela nos observava com aqueles olhos de conta. Ela e minha mãe tinham discutido recentemente, então ela estava procurando uma desculpa para ser desagradável.

Estava muito silencioso, como devem ser as bibliotecas, então, do nada, Jack disse:

— Ouçam isso! — E deu um arroto muito alto, que se alongou por pelo menos cinco segundos. *Não* foi bom.

A bibliotecária disse:

— Sinceramente!

Várias pessoas balançaram a cabeça, e sons de reprovação vieram das senhoras na seção das revistas, liderados, é claro, por uma vovó Sutton muito insatisfeita.

E foi o que bastou: mamãe entrou no Modo Ranzinza. Fui obrigada a passar aspirador em todos os cantos da casa quando chegamos e passear com Rascal. Ela só está melhorando agora.

ATENÇÃO

Os irmãos e irmãs mais novos podem destruir os seus meticulosos planos operacionais. Eles são completamente imprevisíveis e podem, em questão de segundos, estragar horas de uma cuidadosa preparação fazendo com que o seu Adulto entre em um modo indesejável. Quando for possível, use técnicas como distrações, ameaças ou suborno para manter seus irmãos mais novos sob controle.

Entretanto, o que é ótimo em relação a minha mãe é que ela não entra no Modo Ranzinza muitas vezes, e seu ambiente favorito é mesmo a nossa casa, comigo, Jack e Mandy, o que é muito conveniente para nós.

É bem mais fácil prever o que o seu Adulto está prestês a fazer se ele estiver ao seu lado no sofá, vendo televisão. No caso da minha mãe, posso prever que ela fará uma dessas coisas:

    a) me pedir para pôr água na chaleira;

    b) em algum momento dirá: "Que lixo";

    c) vai dormir.

Quarta-feira, 5 de agosto, 20:07

TREPIDAÇÕES/BARULHO

A maioria dos Adultos não gosta de som alto e trepidações. Tenha cuidado ao usar alto-falantes potentes ou amplificadores perto do seu Adulto. Certas trepidações e campos magnéticos podem fazer com que o seu Adulto entre no Modo Ranzinza. Se isso acontecer, seja rápido. Os Adultos podem progredir rapidamente para o Modo Irritado e até mesmo para o Modo Zangado se a situação persistir. E acredite em mim: você não vai querer chegar a esse ponto.

Devido às suas vidas extremamente estressantes, grande parte dos Adultos quer um pouco de paz depois de um dia duro no trabalho. E é por isso que, para muitos deles, a música alta é um tópico sensível.

Por exemplo, Hannah me deixou encrencada com a mãe dela, a tia Susan, hoje. Aparentemente, minha tia não conseguia nem pensar por causa da nossa música alta enquanto tentava dormir depois de um plantão noturno no hospital (ela é enfermeira).

Eu estava deitada na cama de Hannah, exercitando minhas pernas para desenvolver os músculos, e Hannah estava no chão pintando as unhas dos pés de um tom muito bonito de vermelho. Quando dei por mim, a tia Susan entrou voando no quarto com o rosto tão vermelho quanto as unhas dos pés de Hannah, gritando para que parássemos com aquela bagunça ou ela jogaria o aparelho de som pela janela, o que achamos meio exagerado.

— Ela provavelmente está de TPM, na menopausa ou algo assim — disse Hannah.

— Não — falei —, ela simplesmente está no Modo Ranzinza.

— Você não vai começar com essa história de Adultos e seus modos funções de novo, vai? — Hannah riu, levantando o pé esquerdo em uma demonstração de grande flexibilidade para soprar as unhas dos pés.

— Não posso evitar: sou uma especialista.

Mandy gosta de ouvir música tão alta que dá para sentir os dentes vibrando na boca. Ela tem sorte por mamãe não ser como tia Susan, porque é extremamente irritante.

E quando Mandy ouve música alta, geralmente o faz em frente ao espelho do "Quartinho". Mandy passa mais tempo se olhando no espelho do que qualquer pessoa que eu tenha conhecido. E não consigo entender por quê. Eu nunca ia querer ficar olhando para aquela expressão emburrada o dia inteiro.

Na verdade, Mandy é bem bonita, só precisava sorrir de vez em quando. Os olhos azuis são seu melhor atributo, exatamente como os da minha mãe. O cabelo dela é farto, ondulado e de um tom castanho-avelã. Eu adoraria ter o cabelo da Mandy em vez do meu, que não tem nada de diferente além de ficar pendurado de um jeito nada atraente atrás das minhas orelhas.

Mandy não é exatamente uma Adulta, mas está sempre no Modo Ranzinza por causa de alguma coisa — por exemplo, quando está com uma espinha no queixo ou decide que está imensamente gorda (ela não é gorda), todos nós temos que andar na pontinha dos pés perto dela porque ela pode entrar no Modo Zangado por qualquer motivo e dirá que estamos tentando arruinar a sua vida dela. Eu poderia escrever um manual inteiro sobre Mandy, ela está ficando tão complicada... Talvez esse seja o meu próximo projeto!

Se tem um som que a minha mãe odeia, é o que o celular da Mandy faz quando ela recebe uma mensagem. É um barulho muito irritante, de um sininho, e se repete o tempo todo porque ela sempre está trocando mensagens com as amigas idiotas; coisas do tipo, "c/ q roupa vc vai sair hj?".

Eu e Mandy costumávamos ser mais amigas antes de ela ficar obcecada com sua aparência. Sinto falta da velha Mandy, a que era mais engraçada. Lembro que uma vez, durante um feriado, estávamos tomando sorvete quando Mandy encostou o sorvete da sua casquinha no meu nariz, e encostei o sorvete da minha casquinha no nariz dela. Nós rimos tanto que saiu sorvete de creme com pedaços de chocolate do nosso nariz.

Agora não parece tão engraçado quanto foi na época, mas eu sinto falta desse tipo de coisa na Mandy. Se eu encostasse sorvete no nariz dela hoje, ia estragar sua maquiagem — a pior coisa que eu poderia fazer na vida. Ela entraria no Modo Zangado na mesma hora. Talvez até no Modo Assassina Com Um Machado. Eu teria que deixar o país e trocar de identidade, caso ela tentasse me localizar um dia.

As amigas de Mandy são bem parecidas com ela. Tive a ideia de chamá-las de Clones porque todas se vestem de modo idêntico e falam do mesmo jeito. Até fazem os mesmos gestos quando estão falando.

A melhor amiga de Mandy (ou devo dizer A Melhor Clone de Mandy?) se chama Lucy Parrish. Quando Lucy está aqui, Mandy não me deixa falar com elas nem permite que eu entre no Quartinho enquanto as duas estão lá dentro passando uma camada de maquiagem sobre outra com espátulas gigantes.

É inacreditavelmente injusto.

Mandy também me acusa o tempo todo de roubar as coisas dela (como fez com o *gloss* naquele outro dia), embora ela sempre perca as próprias coisas. Então é "Katie, você roubou meu delineador preto?" ou "Katie, você afanou meu esmalte?".

Bem, às vezes eu pego as coisas dela "emprestado", sim — porque são muito melhores que as minhas. Preciso apenas garantir que Mandy não vai me flagrar usando nada.

DICA ÚTIL

Evitar seus irmãos mais velhos pode ser tão benéfico para o seu bem-estar quanto evitar os próprios Adultos.

E, por falar em evitar Adultos... para escapar da tia Susan no Modo Ranzinza, eu e Hannah fomos para o parque. Hannah usou chinelos para mostrar as unhas dos dedos dos pés. Neil Parkhouse e Jonathan Elliott — ambos do nosso colégio — estavam lá, mas Thomas Finch não.

Acho que Neil Parkhouse gosta de Hannah, porque ele roubou um dos chinelos dela e o jogou por cima de uma cerca. Nós o fizemos ir até o outro lado para buscá-lo. Ele estava escalando para voltar quando pisou em um imenso monte de cocô; foi *muito* engraçado.

— Você sabia que existem sete milhões e quatrocentos mil cachorros no Reino Unido? — comentou Jonathan Elliott (que, se não estou enganada, tem um livro bem grosso em casa chamado *Formas desconhecidas de chatear seus amigos*). — E que eles produzem mil toneladas de fezes *todos os dias?!*

É típico de Jonathan usar uma palavra como "fezes".

— Bem, acho que tenho uma boa parte dela no meu sapato — murmurou Neil.

Aí Ben Clayden apareceu!!! Ele estava jogando tênis com um dos meus muitos primos, Jake, mas Hannah e eu não podíamos ficar encarando como gostaríamos porque ninguém pode saber o que sentimos por ele.

Enquanto voltávamos para casa, bolamos um plano incrível: roubar algumas raquetes de tênis para impressionar Ben. Nenhuma de nós tinha jogado tênis antes, mas tenho certeza de que vamos aprender. Não pode ser *tão* difícil, pode?

Quinta-feira, 6 de agosto, 16:45

SUPERAQUECIMENTO

Como qualquer ferramenta complexa, o seu Adulto está sujeito a um superaquecimento. Infelizmente, isso pode acontecer com muita rapidez. O superaquecimento pode ocorrer por diversos fatores, mas, como qualquer Adulto é único, algo que gera o superaquecimento de um Adulto pode não ter o mesmo efeito em outro. O truque é entender quais são os estopins de cada um deles.

É fácil identificar o superaquecimento, porque o rosto do seu adulto vai ficar extremamente vermelho. TENHA MUITO CUIDADO. O superaquecimento pode levar a um comportamento irracional e até mesmo perigoso do seu Adulto. Se o superaquecimento ocorrer, para sua própria segurança, saia de perto até ele esfriar a cabeça.

Hoje, quando voltei da casa da Hannah, Mandy estava limpando a garagem! Não há nada que dê mais satisfação do que ver seu irmão ou sua irmã sofrendo um castigo terrível enquanto você observa de uma distância segura, com uma expressão presunçosa no rosto.

Soube depois que ela tinha chamado minha mãe de "fracassada", o que provocou um superaquecimento em mamãe na mesma hora. Mandy não apenas tem que limpar a garagem como não poderá ir à festa da Lucy

Parrish mais tarde, o que eu sei que minha irmã considera o evento social do verão!

Mas minha mãe não aceita desrespeito; e esse é um dos seus estopins. Se Mandy fosse uma especialista como eu, saberia disso. Mas ela não é, e não sabia. E é por isso que está encrencada enquanto eu estou no sofá, relaxando. A vida é *boa!*

Minha mãe é bem normal até surgir um superaquecimento. Quero dizer, ela não vive estressada o tempo todo, como alguns Adultos. Ela aceita Mandy, que está constantemente de mau humor, mandando torpedos e reclamando da vida. Mas não a deixa ir longe demais. Como hoje, por exemplo. Às vezes o superaquecimento é bom, eu acho; mostra aos outros quais são seus limites.

Com a minha mãe, geralmente dá para saber quando se passou dos limites. Como no ano anterior, quando usei a echarpe favorita dela para ir ao parque de diversões, em Oxford. A echarpe era de veludo verde-escuro; minha mãe sempre a deixa enrolada nas costas da cadeira que fica em frente à penteadeira dela. Pensei que, como ela nunca a usa, não se incomodaria se eu pegasse emprestada.

Eu nunca tinha visto minha mãe superaquecer tão rápido como quando voltei para casa naquela noite. Eu não apenas estava usando a echarpe dela (de uma forma completamente estilosa, preciso dizer), mas também havia derramado nela o molho de tomate de um cachorro-quente que eu tinha comido.

Ela arrancou a echarpe do meu pescoço e ficou gritando que eu não tinha o direito de pegá-la emprestado sem pedir, blá-blá-blá, grito, grito, grito.

Acontece que a echarpe tinha sido um presente do meu pai para ela quando eles eram adolescentes, mas *como eu poderia saber disso?* Do jeito que ela falava, você poderia pensar que era uma relíquia antiga de valor inestimável.

Foi quando me dei conta de que é preciso ter cuidado com os estopins do seu Adulto. Felizmente, eu já havia desenvolvido um plano que consistia em quatro iniciativas para lidar com o superaquecimento de um Adulto:

SUPERAQUECIMENTO, QUATRO INICIATIVAS DO PLANO DE EMERGÊNCIA

1) *Saia de perto.* Não fique parado nas proximidades do seu Adulto, pois isso pode colocar sua integridade física em perigo;

2) *Diga frases tranquilizantes,* como "Não liga, não", "Vamos avaliar isso com calma" e "Coisas piores acontecem no mar";

3) *Ofereça ajuda,* mesmo que você saiba que não há nada que possa fazer. Por exemplo, "Você quer que eu limpe aquilo do teto?", "Posso buscar um copo de água pra você?" ou "Você gostaria de respirar dentro desse saco de papel?";

4) *Espere o Adulto se acalmar.* Isso pode demorar um pouco.

O plano de quatro iniciativas funcionou durante a confusão da echarpe — recomendo fortemente a iniciativa 4, que sempre funciona, se as 1, 2 e 3 falharem. Para nossa sorte, as mães tendem a se acalmar com certa rapidez assim que colocam algumas coisas para fora.

Quinta-feira, 6 de agosto, 17:15

Algumas imagens são tão terríveis, tão HORROROSAS, que parecem queimar no seu cérebro. Sabe o que estou querendo dizer? Bem, foi exatamente isso que aconteceu comigo agora mesmo.

Fui até a cozinha para pegar um copo de leite, e o que eu vi? Minha mãe claramente relaxada depois de ter superaquecido mais cedo. Na verdade, está tão relaxada que, neste exato momento, está *dançando pela cozinha* enquanto ouve sua coletânea de hits do Abba! Está fazendo aquele tipo de dança que os Adultos fazem, um movimento empertigado dos ombros enquanto mexem os quadris. TÃO CONSTRANGEDOR. Eu me afastei rapidamente antes que ela me visse; vai que ela me chama para participar.

Muita vergonha.

ATENÇÃO

Se o seu modelo de Adulto for antigo (tipo, mais de 30 anos), é possível que ele reaja a uma música que gosta com operações como a "Dança" e o "Caraoquê", o que significa que entraram no pior de todos os modos.

MODO VERGONHA

Adultos sempre vão te constranger no pior momento possível. É um fato.

Não importa se você está na escola, no shopping ou em qualquer lugar público, é garantido que em alguma ocasião o seu Adulto entrará no Modo Vergonha. E, naquele exato instante, pelo menos dez pessoas que você conhece estarão por perto.

Adultos que são muito velhos (tipo, mais de 40) muitas vezes já passaram para o estágio "Não ligo para o que as pessoas pensam, falo o que quero", o que significa que você pode ter uma influência mínima, ou nenhuma, sobre a Potência Vocal deles. Esteja preparado para um IMENSO elemento embaraçoso, pois eles dizem coisas como "Eu me lembro de quando você fez uma poça de xixi no chão na sua festa de aniversário de 2 anos. Você era uma gracinha!"

O Modo Vergonha, infelizmente, ocorre com muita frequência quando Adultos estão envolvidos. Mais uma vez, desenvolvi um engenhoso e simples plano emergencial de quatro iniciativas que você poderá seguir:

MODO VERGONHA — PLANO EMERGENCIAL DE QUATRO INICIATIVAS

1) Se afaste do seu Adulto;

2) Não fique nas imediações mais próximas do seu Adulto;

3) Finja que na verdade não os conhece;

4) Diga "Eu nunca vi essa pessoa na minha vida".

Só pelo fato de existir, seu Adulto provavelmente já é uma vergonha. Minha mãe com certeza é. Tenho sorte por mais ninguém tê-la visto dançando agora, mas o comportamento constrangedor dela não para por aí. Há algumas semanas, ganhei meu primeiro sutiã. Sendo sincera, eu não preciso dele, mas... todo mundo tem um, então convenci minha mãe a me dar um também.

Ela me levou até Oxford e me convidou para um chocolate quente em uma cafeteria chique para que o momento fosse perfeito. O chocolate vinha num copo alto com chantilly e marshmallows em cima.

Isso é uma coisa típica da minha mãe. Ela é muito boa em dar a cada um de nós o que chama de "momento especial". Ela deveria ganhar um prêmio, porque a maioria dos Adultos é péssima nisso, pelo que ouço por aí.

Mas ela arruinou tudo COMPLETAMENTE quando chegamos à loja. Qualquer um de Londres a Timbuktu poderia ouvi-la gritando para a vendedora que eu precisava de um "SUTIÃ INFANTIL!". Ela deveria ter usado um megafone de uma vez. *Muita* humilhação pública.

FATO TRISTE, PORÉM VERDADEIRO

Quanto mais constrangedor for o assunto, mais alta será a Potência Vocal do seu Adulto.

E os nossos Adultos ainda se perguntam por que não queremos sair com eles!

Meu pai costumava nos constranger sempre em festas de família — ele era um grande fã de dança e caraoquê.

Ele se levantava e dançava até mesmo quando não havia ninguém fazendo isso e, para piorar, errava as letras de todas as músicas. Temos um vídeo antigo dele balançando os braços e nos oferecendo sua versão desafinada de "(I Can't Get No) Satisfaction", durante a festa de 30 anos da tia Julie. Às vezes eu assisto ao vídeo com a minha mãe e nós rimos muito... Às vezes choramos um pouquinho também.

Talvez seja melhor eu contar o que aconteceu com o meu pai. Ele morreu há quatro anos. Pronto. Contei. Foi uma grande e imensa porcaria durante muito tempo, mas *estamos bem agora*. De verdade.

Meu pai disse que não queria que ficássemos por aí com os rostos vermelhos pelo restante de nossas vidas por causa do que lhe aconteceu. Disse que gostaria que saíssemos por aí e fizéssemos o melhor com nossas vidas, que fizéssemos coisas que "fizessem a diferença".

É assim que espero estar "fazendo a diferença": escrevendo este guia. Quero facilitar a vida de todos que estejam com seus respectivos Adultos — vamos falar a verdade — *totalmente* fora do controle.

Existe um número absurdo de livros sobre como Adultos podem controlar o comportamento dos adolescentes, mas não há NADA sobre como *nós* podemos controlá-los.

É oficial! Estou explorando um terreno totalmente novo!

Sexta, 7 de agosto, 15:00

Estou escondida no meu quarto, incapaz de encarar o mundo novamente. Nunca mais. É sério. E é irônico que ontem mesmo eu estivesse escrevendo sobre o Modo Vergonha. Se compararmos com a minha exibição no parque hoje, minha mãe dançando Abba na cozinha tinha sido bem legal.

Certo, vou explicar o que aconteceu. Eu e Hannah desencavamos as antigas raquetes de tênis das nossas mães e algumas bolas de tênis e corremos para a quadra à tarde porque no outro dia ouvimos Ben Clayden dizer para Jake:

— Nos vemos de novo na sexta.

E é claro que eles estavam mesmo lá e a quadra ao lado da deles estava vazia. Bingo!

Passamos por eles casualmente.

— Eu não sabia que vocês jogavam — disse Jake, nos olhando de um jeito desconfiado.

— Sempre! — falei enfaticamente, batendo a bola para cima e para baixo como uma profissional. Do outro lado da rede, Hannah me esperava ansiosa, apertando a raquete com as duas mãos.

Respirei profundamente e joguei a bola no ar, esperando o melhor dos resultados quando a acertei. A bola voou direto na rede.

— Falta! — gritou Hannah, se apoiando de um pé para o outro com o rabo de cavalo balançando para lá e para cá. Eu queria dar um tapa nela.

Quiquei a segunda bola e depois a lancei no ar. *Pow!* A bola voou até a quadra de Ben e Jake, acertando a rede deles.

— Falta dupla! — piou Hannah, feliz.

— Já sei, por que *você* não tenta sacar? — falei quando Jake jogou a nossa bola de volta.

Hannah jogou a bola no ar e errou totalmente. Decidi não gritar "Falta", já que não sou infantil como Hannah consegue ser. Ela tentou de novo e, dessa vez, a raquete fez contato com a bola, que ultrapassou a rede. Fiquei tão surpresa que me esqueci de fazer a recepção.

Optamos então pelo saque baixo, que é bem mais fácil, para apenas encenar a coisa toda. Estávamos nos parabenizando efusivamente (por ter acertado a bola *quatro* vezes sem errar), quando percebemos que Jake e Ben estavam observando — e pareciam entretidos.

— Então, vocês duas já se inscreveram no torneio de Wimbledon? — gritou Jake da outra quadra enquanto ele e Ben acertavam a bola de um lado para o outro como profissionais.

É claro que precisamos encenar por mais um tempinho, já que parar seria simplesmente admitir o fracasso. Assim, continuamos com as nossas patéticas tentativas no tênis por mais vinte minutos, tentando fingir que estávamos apenas nos divertindo e que na verdade *gostávamos* de ficar buscando a bola que saía da quadra tanto de um lado quanto do outro.

E foi quando fiz a coisa incrivelmente estúpida. Na televisão, eu já vi jogadores de tênis pulando a rede depois de vencer um grande torneio, e isso parecia bem fácil. Então, quando decidimos parar de jogar, tive a ideia de tentar fazer o mesmo. Achei que Ben poderia ficar impressionado.

Enquanto eu corria na direção da rede, pude ver a expressão de medo e descrença no rosto de Hannah. A rede assomava à minha frente e, no último instante, eu soube — com uma certeza terrível e medonha — que eu não conseguiria pular, mas também não conseguiria parar. Em câmera lenta, voei pelo ar e acertei a rede com uma das pernas, depois prendi o outro pé e caí de cara.

— Tá tudo bem?

Hannah, Jake e Ben Clayden estavam parados ao meu redor quando me levantei. Coloquei a mão no queixo. Havia sangue.

— Acho que só ralou — disse Ben casualmente. — Eu iria para casa limpar isso. O que você estava tentando fazer?

Não tive condições de responder. Simplesmente tentei não chorar. Hannah me levantou e me guiou para fora do parque.

Hannah poderia ter me perguntado sem parar em que eu estava pensando e por que eu havia feito aquilo. Mas não o fez. Apenas me levou para casa e me deixou aos cuidados da minha mãe, dizendo que passaria mais tarde para me ver e levar chocolate. É por isso que Hannah é ouro puro cravejado de diamantes no quesito melhor amiga e prima, a melhor que alguém poderia ter.

E eu sou uma idiota que deveria viver em uma caverna, bem longe dos outros humanos.

Minha mãe entrou no Modo Compreensivo assim que viu meu queixo mutante.

MODO COMPREENSIVO
É um modo muito raro. Os Adultos preferem tentar amenizar a sua dor dizendo coisas como:
  * _"Já vi coisas muitos piores."_
  * _"Pneumonia dupla? Eu AVISEI para você usar o casaco da escola."_
  * _"Não é o fim do mundo."_
  * _"Toma jeito."_
Ou a minha frase favorita: "Acho que você vai sobreviver."
Você saberá que seu Adulto está no Modo Compreensivo porque terá a total atenção dele quando isso acontecer. Aproveite o quanto puder, porque pode não durar muito tempo.

— Meu Deus, o que houve? — gritou minha mãe, pegando o saco de gelo de dentro do freezer imediatamente.

Respondi que era um lance difícil e eu escorreguei — assim meu acidente pareceria heroico e não praticamente proposital.

— Coitadinha! — disse ela, me levando escada acima até o banheiro, onde passou antisséptico no machucado, que doeu à beça.

— Mãe, *não* me faça ir dormir na Hannah hoje — implorei quando vi meu reflexo no espelho do banheiro. — *Nunca mais posso sair de casa!*

— Vamos fazer o seguinte — disse ela ao guardar o remédio no armário do banheiro —, por que Hannah não vem pra cá para variar um pouco? Você pode chamar a Louise também. Uma noite só com as meninas vai te animar. Vou pedir pizza.

Esse é o Modo Compreensivo em pleno funcionamento.

DICA ÚTIL

Para conseguir o máximo do Modo Compreensivo com seu Adulto, tenha certeza de que aparenta ser uma vítima completamente inocente.

Eu nunca teria ativado o Modo Compreensivo se eu tivesse contado a verdade absoluta sobre meu queixo machucado para a minha mãe. Se eu tivesse contado a ela sobre pular a rede, teria ouvido a seguinte resposta: "Bem, a culpa foi sua." Algo muito menos satisfatório.

Gostei de me refestelar na compreensão materna por um tempo, mas, quando subi para o Quartinho a fim de arrumar as coisas para quando Hannah e Loops chegassem, comecei a ter flashbacks. Isso com certeza significa que estou sofrendo de estresse pós-traumático! Ficava lembrando sem parar da expressão no rosto de Ben Clayden depois que ele viu meu Pulo da Vergonha — um olhar de descrença e pena e... tenho certeza, *nojo*.

Eu me enrolei no cobertor e desejei adiantar minha vida em dez ou vinte anos na esperança de que, até lá, todos tivessem esquecido aquilo. Rascal pulou na cama e se refugiou embaixo das cobertas, dando uma lambida na minha bochecha para depois sair correndo, salivando e espirrando. Ele obviamente tinha lambido o antisséptico.

23:30

Devo ter adormecido, porque só fui acordada bem mais tarde, quando Hannah e Loops entraram subitamente no Quartinho com as mãos cheias de tudo que era feito de chocolate e de que eu gostava.

— Saia daí debaixo! — gritou Loops. — Não podemos comer tudo isso sozinhas!

Pus a cabeça para fora e percebi que Loops estremeceu ao ver meu queixo, que além do ralado estava adquirindo um adorável tom de roxo-azulado. Eu só conseguia pensar que felizmente não estávamos em período de provas.

Habilmente, nem Hannah nem Loops mencionaram o meu comportamento nada-descolado-lamentável-e-mais-vergonhoso-do-século, e se aproximaram com mais sutileza me oferecendo chocolates e conversando sobre tudo que não estivesse relacionado ao tênis.

— Então, *imagine seu futuro!* — disse Hannah. Essa é uma das brincadeiras favoritas dela.

— Eu primeiro! — disse Loops. — Certo. Estou trabalhando como câmera, viajando o mundo todo para filmar atores de cinema. Aí, um dia, Robert Pattinson diz: "Uma beleza como a sua não pode ficar escondida atrás das câmeras. Você sabe atuar?"

"E eu digo: "Sinceramente, não sei."

"Mas tenho um talento natural e logo estou estrelando diversos filmes importantes, ganhando milhões de libras *e* ganhando o Oscar. Eu me aposento aos 30 anos, quando tenho quatro filhos com Rob (dois casais de gêmeos, para não precisar engravidar quatro vezes) e moramos em uma ilha no Caribe... mas temos um jatinho, então podemos ir para Nova York, Londres e outros lugares."

Loops se joga na cama aos meus pés, os olhos fechados enquanto adentra sua feliz fantasia com Rob Patz.

— Parece suportável — disse Hannah —, se você gosta de vampiros. E você, Katie-Cat?

— Passarei o restante da minha vida em uma vila remota no Himalaia, tendo apenas um burro como amigo.

— Sem essa de freira careca e desdentada de novo — disse Hannah, que me conhece tão bem.

— Existem burros no Himalaia? — perguntou Loops.

— Qual é, Katie — disse Hannah. — Pare de se lamentar.

— Tudo bem — falei. — No próximo ano, vou surpreender a todos com pernas lindas e compridas. Trabalharei como supermodelo há alguns anos, mas apenas para ganhar dinheiro suficiente para iniciar meu Centro Internacional de Resgate de Golfinhos e Cachorros, na ilha vizinha à de Loops e Rob Patz.

Num dia normal, eu teria sugerido que Ben Clayden apareceria de repente e decidiria ficar na ilha para gerenciar o Centro comigo. Hoje não tenho coragem para dizer isso. E, de qualquer modo, Loops está ficando cansada de ouvir eu e Hannah falando sobre Ben Clayden.

— Parece incrível — disse Hannah sem muito entusiasmo —, mas ouça o meu. Uma guerra está prestes a acontecer entre diversos países. O aquecimento global está piorando. E eu descubro uma forma de estabelecer a paz mundial *e* impedir o aquecimento global!

— E isso com...? — disse Loops, fazendo a pergunta que ninguém queria perguntar.

— Com um monte de... bazares de caridade? — disse Hannah dando uma resposta improvisada, demonstrando claramente que não havia pensado nos detalhes.

Nós três nos perdemos em uma risada estridente incentivada pelo chocolate.

Os amigos têm um jeitinho de melhorar as coisas.

Sábado, 8 de agosto, 14:00

_PROBLEMAS OU DÚVIDAS EM CASO DE MAU
FUNCIONAMENTO
Por favor, lembre-se: se tiver qualquer problema ou dúvida
relacionada ao seu Adulto, não existe uma equipe de suporte
para ajudar. Se o seu Adulto for acometido por algum tipo de
defeito, não há garantia de fabricação ou nenhum outro tipo
de garantia, de cinco anos ou similar._

Você está por sua conta.

Hannah e Loops foram embora pela manhã, andando por aí de uma maneira incomodamente despreocupada, podendo aproveitar sua aparência nada assustadora e sem o risco de serem ridicularizadas ao caminhar pela rua. Graças à magia do chocolate e das muitas risadas, elas fizeram com que eu me sentisse bem melhor ontem à noite.

Felizmente existem os amigos.

Mas há um problema que nem Hannah, nem Loops, nem chocolate, nem risada — nem mesmo um time inteiro de suporte — me ajudarão a resolver. Estou por minha conta nessa e vou precisar de toda a minha habilidade para consertá-lo.

Um GRANDE problema de mau funcionamento atingiu mamãe. Minha mãe — sim, _minha mamãezinha!_ — TEM UM NAMORADO!

E só não mencionei isso antes porque estou totalmente em negação. Parece tão, tão, tão, tão, tão errado usar a palavra "namorado" em qualquer situação relacionada à minha mãe.

Achei que, se eu fingisse que não estava acontecendo, o namorado simplesmente desapareceria.

Minha mãe só o conhece há umas seis semanas, e ele se chama Stuart. É professor de Educação Física e mora em Oxford.

Neste exato momento, minha mãe está na rua comprando uma roupa para usar no encontro deles hoje à noite: ela vai ao cinema com ele em vez de ficar em casa assistindo televisão conosco, lugar ao qual ela pertence. Agora mesmo ela deveria estar tomando conta de Jack. Mas não! A triste mané de queixo bizarro aqui tem que fazer isso. Mamãe se aproveitou de um fato: DE FORMA ALGUMA eu poderia sair de casa com essa aparência!

E estar aqui sentada sozinha me fez perceber que não posso mais negar a existência de Stuart.

Acho que meu maior problema com Stuart é ele simplesmente ter aparecido na nossa vida. Nossa família está bem assim. Tudo estava em pedaços depois que meu pai morreu, mas nós superamos — nós quatro, sozinhos. Coisas assim deixam as pessoas muito unidas. E é por isso que não precisamos de mais ninguém — funcionamos bem como estamos.

Todos nós temos nossas rotinas e sabemos o que é o quê. E, graças às minhas técnicas especializadas, tenho operado minha mãe de maneira tranquila e eficiente — então todos estão felizes.

É como a vovó diz: "Se não está quebrado, por que consertar?" É exatamente assim que vejo nossa família. Não estamos estragados e *não* precisamos de conserto.

Mas, de repente, do nada, temos esse sujeito aleatório, vestindo uma camisa "sem etiqueta ou marca" que diz "salvem o meio ambiente", na *nossa* casa, invadindo a *nossa* sala de estar, sentado no *nosso* sofá... e dizendo para a minha mãe:

— Sim, aceito uma xícara de chá, Alison.

Preciso confessar: Stuart não é um esquisitão nem um monstro. Na verdade, Loops o acha bonitão, já que ele faz um estilo aventureiro e másculo; um jeito Bear Grylls de ser, embora Loops obviamente não tenha notado o narigão dele. Preciso admitir também que ele não é cabeçudo nem chato nem totalmente demente como os namorados que a minha tia Julie encontra na internet.

Mas... é simplesmente errado. Minha mãe saindo com alguém.

Desde que Stuart apareceu, venho notando algumas pequenas mudanças no comportamento da minha mãe. Ela começou a se preocupar mais com a aparência e olha no espelho com mais frequência. E outra noite ela disse que achava que estávamos vendo televisão demais! Ela *nunca* havia dito isso. É claro que foi por causa dele.

Stuart é um desses adultos que realmente querem salvar o meio ambiente, e acho que ele está tentando convencer minha mãe a fazer o mesmo. Ela tem falado sobre montar uma pilha de fertilizante orgânico no jardim *e* começou a reciclar. Eu e Mandy costumávamos dizer a minha mãe que ela devia reciclar, mas ela nunca nos deu atenção. Agora que *ele* disse que ela deve reciclar, ela veste a camisa!

Ele se esforçou bastante para ser legal conosco, mas não entende que já fez a coisa mais imperdoável e mais errada que qualquer um poderia fazer. *Ele está saindo com a minha mãe.*

E também não acho que ele entenda crianças de fato, o que é esquisito se considerarmos que ele é professor. Por algum motivo bizarro, outro dia ele me deu de presente uma lanterna de cabeça movida a energia solar! E comprou uma para Mandy também; ele disse que com aquilo seria mais seguro voltarmos andando para casa no escuro. Como se fôssemos andar em público com lanternas de cabeça ligadas!!! Sinceramente, *ele não tem a menor noção.*

E foi tão baixo da parte dele tentar comprar o nosso afeto dessa forma. Ele achava mesmo que deixaríamos que ele ficasse com a nossa mãe em troca de uma lanterna de cabeça?

Ontem, um pouco depois de eu ter chegado em casa com meu novo queixo esquisito, o telefone tocou. Era Stuart ligando para combinar o que faria com a mamãe hoje à noite.

Depois que colocou o fone no gancho, ela parecia "brilhar" de dentro para fora. Lá estava eu com um machucado perigoso e possivelmente fatal no queixo enquanto minha mãe aparentava estar mais feliz do que eu já vira em séculos!

Tenho um mau pressentimento em relação a isso.

NÃO REEMBOLSÁVEL E TROCAS NÃO PERMITIDAS

Você não pode devolver o seu Adulto. O fabricante não se responsabiliza pelos muitos defeitos deles. Como, a esta altura, eles muito provavelmente estão com as arestas gastas e já deram o que tinham de melhor, se não estiverem seriamente danificados, nem pense em tentar pegar seu dinheiro de volta. Não é possível fazer uma Atualização ou Melhoria no seu Adulto. Ele é não reembolsável e trocas não são permitidas.

Quero dizer, que tipo de produto é *esse*?

Sabe o que é completamente irritante? Para começar, você não pode escolher os Adultos que farão parte da sua vida. Já pensei muito sobre essa parte do negócio. É impossível fazer uma troca conveniente do seu Adulto por um modelo melhor ou ser recompensado pelo seu mau funcionamento. Você está preso ao que lhe for designado.

Imagine se você fosse comprar um carro novo, que é algo importante, e quando chegasse à concessionária visse que a pessoa na sua frente tinha acabado de pegar um carro esporte, com vidros elétricos, assentos aquecidos e uma televisão e videogame acoplados ao banco, e trariam para você uma coisa em pedaços, destruída, com amassados dos lados e chiclete grudado nos bancos.

Nascer é assim. Você não sabe se vai ganhar o carro esporte ou a lata-velha enferrujada.

Meu pai não era um carro esporte, mas também não era uma lata-velha. Ele ficava em algum lugar entre os dois. Podemos dizer que ele tinha seus momentos de Porsche. Como quando nos levou a Londres e fomos tomar chá num hotel muito chique chamado The Dorchester. Ele brincou conosco dizendo que queria nos mostrar como "a outra metade do mundo vivia".

Às vezes ele dizia coisas como: "Entrem no carro, vamos para o litoral!" E simplesmente íamos, sabendo que aquilo queria dizer sorvete e passeios e tudo o mais. Ele não era de fazer coisas sem empolgação, não o nosso pai.

Mas, para ser honesta, papai não era perfeito. Por exemplo, quando minha mãe pedia para ele nos buscar na escola, mas ele se esquecia. Incomodava o seu esquecimento, porque sabíamos que a mamãe o lembrava pela manhã, dizendo:

— Não vai esquecer, Mike.

E ficávamos lá parados, os últimos esperando. Ele chegava correndo depois que os professores ligavam, se desculpava com eles e contava algumas piadas para conquistar sua simpatia. Mas o que me incomodava mais era que ele nunca se desculpava conosco; dizia apenas:

— Vamos embora, meninas.

Então todos têm seus momentos ruins, até o meu pai tinha os dele.

Independentemente do tipo de Adulto que você tem na sua vida no momento, não existe motivo para se lamentar. Aproveite o quanto puder. Afinal de contas, carros batidos e velhos podem ser consertados e ganhar ralis, com seus amassados e tudo o mais. E carros esporte reluzentes podem quebrar ou bater.

Acho que o que estou tentando dizer é que os Adultos são complicados e nada é tão simples quanto parece. Quando você acha que os entendeu, eles *sempre* vão te surpreender. Minha mãe certamente nos surpreendeu arrumando um namorado. E, neste exato momento, não sou eu quem está na rua comprando roupas para um encontro ardente enquanto mamãe está enfiada em casa tomando conta de Jack; é o contrário. É uma abominação contra a ordem natural das coisas.

Não que eu me importe em tomar conta de Jack. Não é difícil. Ele fica feliz quando está no computador. Na verdade, seria possível deixá-lo lá indefinidamente. No futuro, arqueólogos o encontrariam numa escavação, seu pequeno esqueleto grudado ao mouse.

Mas, voltando ao assunto anterior, como os Adultos podem ser complicados, estou querendo dizer que exatamente quando você se acostuma a uma situação, ela muda. A maneira como minha mãe está agindo definitivamente não se encaixa em nenhuma situação anterior. Eu não faço ideia do que vai acontecer em seguida, nem tenho certeza se vou gostar...

Garanto que mamãe está comprando algo inapropriado.

Ao menos, pelo bem dela, ainda posso influenciá-la depois que voltar para casa. Se tiver comprado algo muito sexy, sei bem como fazê-la pensar que aquilo é vulgar, então mamãe vai esconder a peça numa gaveta e nunca usar. Rá rá!

Também tenho outro plano. Se ela chegar com muitas sacolas nas mãos, posso fazer com que se sinta extremamente culpada. Basta dizer que Jack mencionou algo como: "Estou com saudades da mamãe." Deve ser suficiente.

Certo, fim da crise de pânico. Esse não é um problema com o qual eu não consiga lidar. Ainda estou no controle.

Sábado, 8 de agosto, 21:30

MODO FELIZ

Estudos científicos — conduzidos por cientistas vestidos de branco — mostram que, quando os Adultos estão no Modo Feliz, as chances de ficarem mais cooperativos e positivos são maiores. Para o seu bem-estar, é vital manter o seu Adulto nesse modo o máximo de tempo possível.

A melhor maneira de fazer com que o botão do seu Adulto passe para o Modo Feliz é sendo a filha perfeita — ou filho ou neto ou seja lá o que você for dele. Talvez isso não seja possível o tempo todo, mas todos os modelos de Adulto vêm com uma percepção sensorial e assim conseguem identificar quando você está se esforçando.

Eu não somente fiquei tomando conta de Jack pela maior parte do dia enquanto mamãe comprava um novo vestido justinho para ir ao cinema (quero dizer, pra que isso tudo se é escuro lá dentro?), como agora estou presa de novo tomando conta de Jack enquanto mamãe _está_ no cinema. Mandy, depois de perder a festa de Lucy Parrish na quinta-feira, está agora na casa de Lucy se atualizando sobre as fofocas das Clones. Embora elas tenham se encontrado no dia anterior. Que drama.

Minha mãe definitivamente estava no Modo Feliz quando saiu hoje à noite, e estava muito elegante e nada parecida com uma mãe. Stuart também estava arrumado. Embora na semana passada estivesse bem, de jeans e camiseta, ele obviamente tem um problema quando tenta se vestir de maneira mais formal. Ele trocou a camisa "sem marca ou etiquetas" por uma camisa marrom bem estranha que parecia ter sido tecida à mão por cabras na Guatemala e — você não vai acreditar — uma gravata de *tricô. Amarela.* Ainda usava jeans, mas trocou os tênis por um tipo de mocassim cor de vinho. Eram parecidos com os que Esquistão Cooper usa. Ai, meu Deus!!!!! Liguem o alerta de atentado à moda. Parecia que ele tinha assaltado o guarda-roupa de um velhinho — vendado.

Quando viu minha mãe descendo as escadas, ele praticamente entrou no Modo Delirante (o estágio natural depois do Modo Feliz). Assoviou e disse:

— Você está deslumbrante!

Minha mãe corou e respondeu:

— Você também!

LEMBRETE PARA MIM MESMA

Sugerir à mamãe que ela faça um exame no oftalmologista.

Àquela altura, Mandy ainda estava em casa, e ambas recuamos para a sala da frente.

— Por favor, me passa um balde para eu vomitar — sibilou Mandy entre dentes.

— Foi mal, também preciso de um — respondi.

Era esquisito ver mamãe no Modo Feliz sem ser por minha causa, por Jack ou Mandy, e até mesmo tia Julie. Normalmente, somos nós que a fazemos sorrir, que a alegramos. E hoje à noite ela parecia feliz de um jeito diferente também...

Minha mãe costumava ficar no Modo Feliz o tempo todo quando meu pai estava vivo, mas é cada vez mais difícil me lembrar disso. Por muito tempo depois que ele morreu, ela nunca estava feliz. E, por isso, fazê-la entrar no Modo Feliz com a maior frequência possível tinha se tornado uma das minhas maiores responsabilidades ao operá-la.

Por exemplo, recentemente mamãe começou a se preocupar com as minúsculas e quase invisíveis rugas que estavam surgindo ao redor dos olhos e na testa.

— Estou ficando velha — diz ela no Modo Triste.

Então digo:

— Não, não está, você é linda. — E isso a coloca imediatamente no Modo Feliz de novo.

Não que seja fácil ser bem-sucedida em todas as minhas tentativas. Outro dia, a peguei de calcinha e sutiã se examinando no espelho de corpo inteiro que fica atrás da porta do banheiro.

— Veja meus peitos caídos e essas estrias — disse ela. — Sou um bagulho.

Não entendi o que ela quis dizer. Minha mãe é supersaudável devido ao seu trabalho atlético, com o corpo e tal. Mas, quando olhei de perto, entendi o que ela estava falando. Os peitos dela *realmente* estavam um pouquinho (mas só um pouquinho mesmo) recurvados, e eu conseguia ver algumas linhas avermelhadas fracas nas coxas e na barriga.

— Você está ótima — falei. — Quero dizer, ninguém adivinharia que você teve *três* filhos.

— Mas nunca pensei que teria que me preocupar desse jeito na minha idade — disse ela, parecendo desanimada. — Nunca precisei pensar nessas coisas quando estava com seu pai.

Não sei por que ela pensa que precisa se preocupar com essas coisas agora, mas sinto pena dela quando parece tão insegura. E bem quando eu estava pensando no que mais dizer, Mandy saiu correndo do nosso Quartinho.

— Mãe, você arrasa — disse ela.

Tenho que admitir que, apesar de sempre termos feito o melhor tentando manter minha mãe animada, ela tem ficado com mais frequência no Modo Feliz desde que Stuart apareceu. O que eu acho que deve ser bom. Quero dizer, outra noite Mandy chegou em casa uma hora depois do combinado e minha mãe nem notou, quando normalmente teria dado um ataque.

Não sei se gosto de ver que Stuart está assumindo o meu papel de especialista em mudança de modo. Mas, por outro lado, talvez eu não deva me preocupar. Mamãe está no Modo Feliz e tenho uma coisa a menos com a qual me preocupar. Por que a vida nunca é simples?

22:35

Enquanto eu estava no banheiro experimentando cobrir meu queixo com base e corretivo, fiquei pensando melhor no que tinha acabado de escrever. E não estou me saindo muito bem. Mamãe disse que, se eu não conseguisse resolver sozinha, ela me ajudaria pela manhã para eu poder sair em público.

Ela é ótima com maquiagem. Quando éramos pequenas, ela costumava pintar o rosto das crianças nas festas. Ela ainda transforma o Jack em tigre de vez em quando, embora ele já esteja começando a achar que não é legal; uma pena.

Não tem como não amar Jack. Ele consegue colocar qualquer uma de nós no Modo Feliz apenas sendo como é, meio esquisito. Ele é ótimo para animar qualquer um, embora normalmente o faça sendo nojento. Hoje, por exemplo, quando fui ao quarto dele para apagar a luz, ele disse:

— Se alguém dissesse que você precisava comer um quarto inteiro cheio de meleca de outras pessoas ou levaria um tiro, o que você faria?

— Preferiria levar um tiro — falei.

Jack balançou a cabeça, concordando.

— Eu também. Mas, seja sincera, você comeria *uma* meleca ou levaria o tiro?

— Eu comeria a meleca — confessei.

— Eeeeeeeeccccccaaaaaa! — Jack se revirou na cama num misto de prazer e nojo satisfeito. — Comedora de meleca! Comedora de meleca!

Apesar de todas as minhas preocupações com mamãe e Stuart, eu tive que rir.

Domingo, 9 de agosto, 10:27

ATENÇÃO

NÃO opere o seu Adulto por mais de dezesseis horas seguidas. Seu Adulto não está configurado para uma operação contínua. Depois de dezesseis horas, grande parte dos modelos de Adulto automaticamente entra no Modo Soneca.

MODO SONECA

É fácil identificar o Modo Soneca em um adulto. Os olhos se fecham, a boca se abre. Um ronco ensurdecedor é ouvido. Normalmente, isso acontece depois do Modo Cansado, que pode ocorrer por causa de muitas horas de operação ou porque o Adulto trabalhou ou se divertiu além da conta.

Atenção: talvez ocorra somente porque o seu modelo de Adulto é antigo e acabado.

Minha mãe ficou na rua até tão tarde com o Homem da Gravata Amarela (como eu o chamo agora) ontem à noite que *nem mesmo ouvi quando ela chegou*! E fiquei acordada até 1:13 da manhã! Bem, essa foi a última vez que olhei o relógio antes de dormir.

Levei uma xícara de chá para ela bem cedo (para os meus padrões) a fim de pedir algumas explicações. Ela só resmungou e puxou o cobertor por cima da cabeça. Ela nem tirou a maquiagem antes de dormir! Pude ver o rímel no travesseiro. Que nojo.

Uma hora depois, voltei com outra xícara de chá, e ela nem tinha tocado na primeira. Disse para eu ir embora, que a deixasse dormir em paz.

— E Jack? — perguntei. — Você é a mãe dele, precisa alimentá-lo!

— Ele é grande o bastante para preparar o próprio café da manhã e, se ele não conseguir, você pode ajudá-lo — murmurou ela. — Agora saia e me deixe dormir.

— A que horas você chegou? — perguntei inocentemente.

Mas ela não respondeu.

DICA PARA SOLUÇÃO DE PROBLEMAS

"Meu Adulto não liga."

Podem existir diversos motivos para isso:

1) Seu Adulto dormiu tarde no dia anterior;

2) Seu Adulto está no Modo Triste;

3) Seu Adulto está gravemente doente. Ligue para a emergência neste instante e provavelmente salvará a vida dele.

Geralmente, minha mãe só precisa de umas sete horas de sono. Isso quer dizer que ela ficou fora até três da manhã — ou talvez até mais. *Talvez ela tenha ficado acordada a noite inteira!*

12:30

Isso está ficando sério. É hora do almoço e minha mãe continua no Modo Soneca. Nem mesmo Rascal, ao tentar lamber o rosto dela, conseguiu despertá-la. Ela simplesmente virou para o outro lado!

Mandy voltou da casa de Lucy e concorda comigo: minha mãe andou aprontando. E estamos Oficialmente Aborrecidas.

Tentei acordá-la para o almoço, mas ela só grunhiu. Então lembrei a ela que deveria me ajudar a cobrir o queixo para eu poder sair mais tarde.

— Você pode fazer isso sozinha, meu amor — disse ela. — Preciso colocar o sono em dia. Você não se importa, não é mesmo?

E antes que eu pudesse dizer "Sim, eu *me* importo, na verdade", ela estava roncando de novo. O que significa que terei de cobrir meu queixo sozinha, quando ela especificamente disse que me ajudaria se eu precisasse; e eu preciso. Não é uma loucura?

Esse é um exemplo de Comportamento Irregular em um Adulto. Estou tentando pensar em alguma coisa que poderia ter feito de maneira diferente para evitar essa situação. Afinal de contas, eu deveria estar escrevendo um guia sobre como operar seu Adulto com facilidade, então isso é bem embaraçoso.

Mas o que eu poderia fazer? Como você impede seu Adulto de sair dos trilhos quando menos espera? Terei que pensar muito nisso.

14:00

Finalmente consegui! Não, não entendi minha mãe (infelizmente), mas resolvi meu queixo. Agora posso sair em público novamente! São duas camadas de base e uma do corretivo caro que a minha mãe usa para as olheiras. Ela não percebeu que eu o peguei da sua penteadeira, porque estava dormindo muito profundamente. Rá rá!

Hannah deve chegar a qualquer instante e vamos ao parque. E por um motivo: Neil Parkhouse perguntou casualmente a Hannah se ela ia ao parque e ela disse que sim, demonstrando que não tem lealdade alguma em relação a Ben Clayden.

20:23

Bem, quem dera eu não tivesse ido. Neil Parkhouse, Jonathan Elliott e Thomas Finch estavam lá. Thomas, é claro, não me olhou na cara porque eu terminei com ele. Estava muito bonito; parece ter crescido e está com um bronzeado incrível depois que voltou da Espanha.

Thomas estava parado ao lado de Loops quando Neil se aproximou de Hannah, e eu sobrei com Jonathan Elliott.

Além de saber de diversos fatos insignificantes, Jonathan é um daqueles geniozinhos que tira as maiores notas da escola e ganha prêmios com seus projetos de ciências.

Ele é um ano mais velho que o restante de nós e muitas meninas o acham bonito. Eu meio que concordo, se ignorar suas orelhas de abano — só um pouquinho. De qualquer forma, de acordo com todas as revistas que a minha mãe lê, você não deve se importar com a aparência da pessoa, e sim com a "beleza interior".

O problema é que, se eu tento enxergar a beleza interior de Jonathan Elliott, só consigo ver um nerd-cabeçudo-sabe-tudo. Não é *muito* decepcionante?

Eu me preparei para uma daquelas lições desconexas sobre a divisão de um átomo. Mas ele nem começou. Ele apenas se virou na minha direção e olhou nos meus olhos de maneira interrogativa.

— Então, por que o seu queixo está marrom?

Quando voltei do parque, minha mãe finalmente tinha emergido. É tão incomum ela dormir um dia inteiro! Isso me deixou completamente confusa. Achei que eu fosse uma especialista nos padrões de inicialização da minha mãe. Afinal, eu os estudei com cuidado.

OPÇÕES DE INICIALIZAÇÃO

Não existe uma inicialização rápida quando se trata de Adultos. Na maioria das vezes, eles são muito lentos para inicializar, especialmente pela manhã. Muitos não conseguem nem ao menos executar a mais simples operação ou função sem um dos combustíveis vitais conhecidos como "Chá e Café".

Entretanto, existem algumas exceções à regra. Alguns Adultos acordam cedo; por exemplo, os modelos com mais de 75 anos. Desses, muitos já acordaram, tomaram café da manhã, tomaram banho e fizeram palavras cruzadas antes das sete da manhã, o que dá a eles nove horas para preencher antes de começar a assistir televisão.

Minha bisavó Peters tem 87 anos, então ela definitivamente é uma exceção à regra da inicialização lenta. Ela acorda antes das seis e às dez horas já fez tudo o que precisava. Daí em diante, ela só vai matando o tempo. Não pode exatamente participar de uma maratona, e também não faz ginástica, então basicamente passa o dia vendo televisão e olhando pela janela para bisbilhotar, além de tomar infinitas xícaras de chá com qualquer um que por acaso apareça.

A bisavó Peters assiste a tanta televisão que acredita conhecer pessoalmente todas as celebridades.

Se eu for à sua casa, não importa a hora do dia, normalmente tem mais alguém lá que teve a mesma ideia que eu. Às vezes há gente demais para a sua pequena sala de estar, e ela precisa dizer:

— Vamos lá, saiam todos vocês!

O engraçado é que embora sempre haja alguém na casa dela, a bisavó Peters está convencida de que é solitária e negligenciada.

Assim são os Adultos. Não importa a idade que têm, eles nunca parecem aprender. O que me leva a alguns pequenos conselhos.

SOBRE OS MODELOS ANTIGOS DE ADULTOS

Os Adultos com mais de 30 anos devem ser tratados com cuidado extra devido aos anos em operação. Eles podem sofrer uma "Crise da Meia Idade" — condição relacionada à idade que provoca alterações erráticas nos modos, mas que normalmente passa com o tempo.

CRISE DA MEIA IDADE

Se o seu Adulto começar a perguntar se o que estão usando os faz parecer mais velhos ou se estiverem se vestindo de maneira totalmente inapropriada para a idade avançada (perdendo o pouco da dignidade que um dia tiveram), eles estão no Modo Crise da Meia Idade. Talvez eles organizem encontros da escola e falem sem parar sobre os bons e velhos tempos.

Tenha cuidado: é uma tragédia presenciar a Crise da Meia Idade, e ela pode ter como resultado o Modo Constrangimento, que normalmente atinge seu ápice quando os seus amigos estão por perto.

Minha mãe deve estar no Modo Crise da Meia Idade. É a única explicação possível para justificar seu comportamento estranho e para ela querer sair com o Homem da Gravata Amarela, que saiu da linha de produção cinco anos depois dela. Ele é mais jovem, então, no desespero da crise da meia idade, minha mãe obviamente está se juntando a ele em uma tentativa de resgatar a juventude! É *por isso* que ela está preocupada com as rugas e tentando adotar um comportamento que a faça parecer mais nova, como ficar na rua a noite toda.

Apesar de achar que a minha mãe é bem velha (quero dizer, *ela tem mais de 30 anos*), ela na verdade é jovem se comparada aos Adultos de grande parte dos meus amigos.

Mamãe tinha 18 anos quando Mandy nasceu. Era apenas três anos mais velha que Mandy agora. ECA! Ela e meu pai frequentaram a escola juntos e começaram a namorar quando estavam no sexto ano. Meu pai ia estudar engenharia elétrica ou treinar para ser chef, mas quando mamãe ficou grávida eles se casaram e ele começou a trabalhar no primeiro emprego que conseguiu: dirigindo a van da empresa de entrega na qual o vovô Williams (pai da minha mãe) trabalhava.

Meu pai dizia que era a melhor coisa que poderia ter acontecido e que ele amava o trabalho dele, mas acho que só dizia isso para Mandy não se sentir mal por ter nascido.

Quinta, 13 de agosto, 16:39

Já tinham se passado *quatro dias* desde o meu grave e traumático ferimento no queixo, e minha mãe nem ao menos perguntou como eu estava me sentindo! Ela nem liga se vou à rua ou não — mamãe mandou que eu (e meu queixo) fosse ao mercado para comprar leite ontem. Implorei para ficar em casa escondida, mas ela nem ouviu o que eu disse.

É claro que, quando cheguei lá, vovó gritou do outro lado da loja:

— O que é isso, Katie Sutton?! Com esse machucado na ponta do queixo, você parece ter um *cavanhaque*! Você parece um *homem*!

Olhei ao redor na expectativa de ver Ben Clayden. Mas não havia sinal dele. Então vi Thomas Finch me encarando detrás da estante de DVDs em promoção. Tive que esconder o queixo atrás de uma garrafa de dois litros de leite. E não tenho certeza se consegui disfarçar.

Minha mãe não parece se importar com essas humilhações. Está ocupada demais parecendo insuportavelmente sonhadora. Isso deve estar ligado à necessidade de ela estar no Modo Soneca. Eu me recuso a me sentir pessimista por causa do recente comportamento egoísta da mamãe. É só uma fase relacionada ao insignificante lance dela com o Homem da Gravata Amarela. Modo Crise da Meia Idade, apenas isso. Não é como se eles estivessem apaixonados nem nada assim.

OTIMIZAÇÃO DE DESEMPENHO

Para alcançar um desempenho otimizado do seu Adulto, é importante estar ciente dos Modos de Operação dele. Se familiarizar com os modos complexos dos Adultos é essencial para operá-lo com a maior eficiência possível.

E por isso é problemático os Adultos terem poder sobre as nossas vidas miseráveis. Tudo está relacionado ao modo no qual eles estão.

Quando eu realmente precisei que mamãe me ajudasse a salvar a minha vida social cobrindo de maquiagem meu queixo mutante, ela me decepcionou completamente ao entrar no Modo Soneca. E não havia nada que eu pudesse fazer. Não posso esquecer que o problema não está na minha competência no assunto, é simplesmente um problema de *timing*.

DICA ÚTIL

Ter timing é tudo. Escolha os momentos com cuidado e esteja alerta para oportunidades inesperadas. Lembre-se que você também pode criar oportunidades. Seja criativo!

Quando comprei meu belo par de sapatos e minissaia para a festa da escola, em abril, ao voltar do shopping percebi que a mamãe estava no Modo Ranzinza. Ela havia substituído uma amiga na aula de step e um dos alunos caiu e reclamou com o gerente do centro de lazer que minha mãe tinha passado uma série muito difícil.

— É a última vez que faço um favor para alguém! — resmungava ela.

Assim, não tinha *como* eu mostrar a ela as coisas que havia comprado naquele momento. Caso contrário, ela teria dito que os sapatos tinham saltos muito altos e que a saia era curta demais, e que eu deveria levar ambos de volta para a loja imediatamente. Eu não podia arriscar perdê-los, pois Hannah e Loops compraram sapatos e minissaias quase idênticos naquele mesmo dia. Se eu ficasse diferente delas, seria uma Pária.

Fiz o seguinte: me tornei extremamente prestativa em casa. Passei um pouco de aspirador de pó (lembra da minha dica importante mais cedo?) e, em seguida, adivinhe, minha mãe não estava mais no Modo Ranzinza. Estava me dizendo que eu a ajudava muito, que era uma boa menina. (Sinceramente, eu não sou. Sou uma fraude calculista.)

Naquela mesma tarde, esperei minha mãe ter passado pelo menos metade da roupa vendo sua novela favorita, pois sabia que então ela estaria totalmente relaxada. Quando entrei na sala de estar usando a roupa nova e os sapatos, ela meio que engasgou com a xícara de chá, mas — graças ao meu cuidadoso trabalho preparatório sendo a filha perfeita durante a tarde — não pediu que eu devolvesse as peças. Na verdade, ela começou a divagar sobre sua primeira minissaia e sobre o que gostava quando era adolescente. (Ela estava no Modo Já Vivi Isso e Já Fiz Isso, um modo particularmente irritante.) Se quer mesmo saber, é informação em excesso... mas tem a aprovação total dos pais.

E *esse* é um excelente exemplo de Otimização de Desempenho.

19:48

Estou muito entediada, por isso mandei uma mensagem para Hannah. Preciso ver o que ela e Loops estão fazendo ou elas acabam se metendo em todo tipo de confusão.

EU: q tah fazendo?

HANNAH: no parque c/ LoopsNeil + T + J

como tah seu queixo?

EU: roxo

HANNAH: rá rá rá

EU: vovó disse q parece uma barba

HANNAH: Thomas F disse que ela falou cavanhaque

(A essa altura, eu já havia morrido de tanta vergonha, mas precisava encontrar uma resposta para não parecer chateada demais.)

EU: vc vai comprar chocolate?

HANNAH: p q não vai vc?

EU: não de barba

HANNAH: Loops mandou um oi

EU: eu tb. divirtam-se. muita agarração, hein?

HANNAH: !!!!!! ateh +

Ótimo. Sou a Garota Bode para Thomas Finch agora. Fantástico. Já consigo ver meu futuro com clareza. Como uma freira careca, desdentada e *barbada* andando nas costas de um burro. No Himalaia.

Sábado, 15 de agosto, 15:20

MODO ENFEITIÇADO

O Modo Enfeitiçado ocorre quando um Adulto demonstra estar encantado por alguém e perde o pouco de dignidade que um dia teve (se é que já teve alguma, o que é bem incomum). Esse Modo está um pouco acima do Modo Imagino Você Sem Calças, mas não é tão sério quanto o Modo Amor. Se o seu Adulto não para de falar de alguém ou se fica olhando para o nada com uma expressão idiota no rosto, suspirando de forma contente, ele provavelmente está no Modo Enfeitiçado.

Tenha cuidado, pois esse modo pode deixar os Adultos distraídos, o que não é bom pois eles podem se esquecer de coisas importantes, como a sua mesada.

Lembra quando eu disse no início desse livro que eu sabia uma coisa ou duas sobre os Adultos? E que eu podia dar ótimos conselhos? Talvez eu tenha me gabado antes da hora.

Hoje aconteceu algo que me fez questionar as minhas habilidades. Eu tinha tanta certeza de que minha mãe estava apenas passando por uma crise da meia-idade. Nunca levei em consideração que ela pudesse, na verdade, estar no Modo Enfeitiçado. Eu achava que podia prever o comportamento dela. Mas, não importa o quanto você os considera previsíveis, os Adultos ainda podem te chocar.

> *ATENÇÃO*
> *Os Adultos podem surpreender você. Esteja preparado para qualquer coisa. O tempo todo.*

O comportamento escandaloso da minha mãe é culpa do Homem da Gravata Amarela. Hoje ele entrou no Modo Descuidado, provavelmente influenciado pelo Modo Enfeitiçado.

MODO DESCUIDADO

Se os Adultos agirem de maneira oposta a como esperam que você se comporte, sem um pedido de desculpas ou até mesmo consciência da própria impressionante duplicidade de padrões, eles estão no Modo Descuidado. Esse é um modo extremamente perigoso, que dificulta a operação tranquila do seu Adulto.

De manhã, Stuart surgiu do nada na nossa porta com um ramalhete com cerca de trinta rosas vermelhas.

Isso fez com que meu alarme de alerta ressoasse loucamente no mesmo instante. Quero dizer, eu achava que isso era apenas um namorico. Mas, se você conhece a linguagem das flores, sabe que rosas vermelhas querem dizer "Eu te amo". E isso NÃO é bom.

Ele ficou lá, parado, sorrindo com expectativa e tentando enxergar através da braçada florida. Pelo menos ele tinha dispensado a gravata e estava de jeans e camiseta novamente.

Até mamãe ficou envergonhada diante daquela presença ridícula.

— Você veio andando do ponto de ônibus até aqui com isso na mão? — perguntou ela.

Nós sabíamos que ela estava preocupada. Pensava na família — principalmente no recriminador e brilhante olhar da vovó Sutton —, e em todos os outros da cidade abrindo suas cortinas e dando uma grande risada ao ver o Homem da Gravata Amarela andando pela rua feito um idiota com seu jardim de rosas portátil.

— Sim! — disse Stuart, orgulhoso, e pudemos ver que qualquer tipo de noção havia deixado o seu ser. Se ele fosse um cachorro, suas orelhas estariam para trás e a cauda estaria balançando loucamente.

Quase senti pena, até que me lembrei do quanto o comportamento da minha mãe havia mudado nas últimas duas semanas por causa dele. Ela está tão diferente! De repente, tem os próprios planos em vez de tentar se adaptar aos meus. Foi um alívio ver que ela não parecia estar no Modo Enfeitiçado também. (Ou assim pensei...)

— É melhor você entrar — disse minha mãe num tom de voz ríspido.

Era possível ver a decepção no rosto de Stuart. *Pelo menos ele deve ter captado a mensagem agora*, pensei, feliz com os meus botões. Ninguém, nem em um milhão ou *zilhões* de anos, poderia substituir o meu pai. *Nunca.* Não importa quantas rosas vermelhas essa pessoa tivesse nas mãos.

Olhei para Mandy, do outro lado; ela estava preparando uma torrada e me deu um sorriso forçado de triunfo recíproco. Percebi que havia alguém ao meu lado e que pensávamos exatamente da mesma maneira: *no placar de Stuart não havia ponto algum.* Jack entrou pulando na cozinha naquele instante e encarou as rosas, intrigado.

— Vamos a algum enterro? — perguntou ele.

Era típico de Jack dizer a coisa certa no momento certo — eu poderia ter lhe dado um abraço. Stuart pareceu ainda mais miserável e desconfortável.

Mas, quando a água da chaleira ferveu, minha mãe já tinha amolecido.

— São *lindas*, Stuart — abrandou ela, arrumando as flores em um grande vaso azul que tirou da cristaleira. — São realmente adoráveis.

Acho que ela se sentiu mal por ter largado ele e tentou compensar uma coisa pela outra.

Pela expressão de Stuart, parecia que ele tinha ganhado na loteria. No sorteio de Fim de Ano.

— Nunca comprei flores para alguém antes — disse ele, o rosto vermelho de satisfação. — Não sei por que o fiz. Nem verifiquei se elas são...

Mas, antes que pudesse terminar de falar sobre produção orgânica e fontes sustentáveis ou seja lá o que fosse que ele ia dizer, minha mãe estava *beijando* Stuart! Na frente dos filhos, bem no meio da cozinha!

> ATENÇÃO
>
> Quando um Adulto entra no Modo Descuidado, isso pode fazer com que os outros entrem no mesmo modo. É infeccioso. Como uma doença terrível e descontrolada.

Fiquei parada pensando: Quem é essa mulher e o que ela fez com a minha mãe?

Não entendo como isso tudo foi acontecer nem por que ela está interessada nele. Quero dizer, como ela *consegue*? Ele é narigudo e tem uma *gravata de tricô amarela*!

Seria apropriado dizer que estávamos seriamente traumatizados depois do que vimos. Nenhuma criança deve testemunhar uma cena dessas sem um aconselhamento apropriado.

Mandy virou de costas, fingindo que estava procurando alguma coisa na gaveta da cozinha. Inexplicavelmente, Jack tapou os ouvidos com os dedos. E eu? Fiquei parada com a boca aberta, como se fosse um papa-moscas humano.

FATO TRISTE, PORÉM VERDADEIRO

É um fato lamentável da vida, mas os Adultos também beijam de língua. Eles transformam algo que é perfeitamente aceitável quando feito entre pessoas jovens e atraentes em um ato trágico e perturbador.

DICA ÚTIL

A única coisa a fazer quando testemunhar Adultos se agarrando é deixar as proximidades do incidente lingual imediatamente ou gritar bem alto. É vital se proteger de um trauma gigantesco, já que isso pode resultar em anos de terapia. Se achar difícil apagar de sua mente a imagem do incidente lingual, tente substituí-la por outra imagem mais agradável — como uma guerra nas trincheiras ou algo assim.

Eu gostaria de ter um controle remoto mágico que me permitisse interromper aquela cena impressionante de alguma forma. Até mesmo apertar o botão de "Pausa" enquanto eu pensava em uma brilhante estratégia, teria ajudado. Mas o botão de "retroceder" seria ainda melhor. Se eu pudesse voltar com Stuart pela porta, andando pela rua até a loja de flores de novo, eu o teria feito. Mas eu estava impotente.

Provavelmente o beijo durou apenas alguns segundos, mas pareceu infinito. Pensei que aquele horror nunca teria fim.

Mandy chegou do meu lado e sibilou:

— No Quartinho, em *cinco minutos*.

E lá estava eu (dois minutos antes do combinado); de alguma forma, Mandy tinha levado Jack também. Logo nós três estávamos sentados na minha cama (a cama debaixo da beliche, é claro; a maldição do filho mais novo), em nosso primeiro Conselho de Guerra.

— Só eu achei — disse Mandy — ou aquilo foi uma das coisas mais *nojentas* que vocês já viram na vida?

— Foi mais nojento do que se mamãe tivesse beijado um Ood — disse Jack.

O Ood era um alienígena de *Doctor Who*. O que tem tentáculos gigantes saindo do rosto.

— Não — disse eu —, foi PIOR do que isso. *Nunca* vou conseguir esquecer.

Só ao pensar na cena percebi que mamãe não estava apenas no Modo Descuidado, ela também estava no Modo Enfeitiçado.

— Vejam bem— disse Mandy —, pensei que ele fosse um idiota, mas não é, certo? Não é qualquer um que consegue fazer com que mamãe o agarre no meio da cozinha na frente dos próprios filhos. E óbvio que ela está completamente apaixonada por ele! Se as coisas continuarem nesse ritmo, mamãe e Stuart talvez se casem, e ele pode tentar ser o nosso novo pai!

— De jeito nenhum! — disse Jack.

— Estamos *muito* perto disso — disse Mandy —, e quem quer que isso se concretize?

Balancei a cabeça. Não consigo imaginar o Homem da Gravata Amarela na minha casa o tempo todo... seria simplesmente estranho.

Jack parecia pensativo.

— Talvez ele possa ficar, se nos levar à Disney... — disse ele.

Jack acha que, quando mamãe arrumar um namorado, ele automaticamente nos levará à Disney World ou à Euro Disney, porque isso aconteceu com dois amigos dele da escola. Então, agora que Stuart está em cena, é óbvio que Jack está aguardando o convite.

Mandy revirou os olhos.

— Jack, isso *não é importante*! Ouça. Se trabalharmos juntos, provavelmente conseguiremos nos livrar dele antes de as aulas recomeçarem. Vocês estão comigo nessa?

— Com certeza! — respondi.

Jack continuava olhando para o nada. Sem dúvida estava pensando no Mickey Mouse. Sinceramente, ele não entendia nada de nada.

20:13

Há cerca de uma hora liguei para Hannah. Ela, obviamente, ficou enojada por mim.

— Então eles estavam praticamente *transando* na sua cozinha? — gritou ela. — É o mesmo que molestar uma criança!

Era bem típico de Hannah, fazer de pequenas coisas um grande drama. Você fica assim quando mora em Brindleton, onde nunca acontece nada.

— Shhhh! Não, não foi assim exatamente. Mas foi tão ruim quanto se estivessem fazendo isso — sussurrei. — Mandy, Jack e eu decidimos que ele precisa *sair de cena*.

— Eu te ajude se precisar — ofereceu-se Hannah. — Tenho uma ideia ótima! Sempre que encontrarmos com ele, vamos fingir que ele fede muito. Posso até fingir um *desmaio*, se você quiser.

— Hannah, isso é coisa de criança — falei. — Precisamos ser muito mais espertas do que isso. Principalmente agora, que mamãe está no Modo Enfeitiçado! Eu te conto quando tiver um plano adequado. Telefone para Loops e a atualize da situação. A gente se fala amanhã.

E é aí que estamos neste exato momento. Estou de babá, de novo. Hoje minha mãe saiu para beber vinho e jantar com o Homem da Gravata Amarela em algum restaurante chique que os professores que usam gravatas amarelas costumam frequentar. Provavelmente eles estão bebendo champanhe e trocando elogios.

Ao menos uma coisa boa: meu queixo parece estar melhorando, então eu não pareço mais ter barba. E amanhã vou encontrar Hannah e Loops para elas me darem um apoio moral. Talvez, depois de dormir, eu sonhe com um plano supremo para tirar minha mãe do Modo Enfeitiçado imediatamente.

Preciso de cada uma das minhas habilidades em entender e controlar os Adultos para sair dessa.

Domingo, 16 de agosto, 10:00

TROCA DE MODO

É importante que você se torne habilidoso na arte de alternar o modo do seu Adulto para garantir que você continue no controle. Se o seu Adulto ficar preso em um modo — por exemplo, o Modo Enfeitiçado —, isso pode prejudicar funções essenciais para o dia a dia. Se isso acontecer, tente forçar uma mudança para outro modo, como o Modo Zangado ou o Modo Aterrorizado.

Preciso me esforçar mais em seguir meus próprios conselhos. Quando mamãe e Stuart estavam se agarrando de maneira detestável ontem, eu deveria ter levantado e gritado "Fogo!" ou "Olhem, um lobisomem!". Mas eu estava chocada demais.

Minha mãe — mais uma vez — não voltou para casa enquanto eu estava acordada. Ontem à noite, depois de ter conversado com Hannah, tive a noite dos sonhos de qualquer adolescente (sim, estou sendo sarcástica e amarga): Rascal, Jack e eu jogamos Banco Imobiliário. Bem, Rascal não jogou, é claro.

Jack ganhou, e *nem foi porque eu deixei* isso acontecer.

É oficial. Meu irmão de 8 anos é mais inteligente do que eu.

Se eu fosse menos estúpida, talvez conseguisse descobrir como trocar de um modo para outro de maneira mais eficiente do que tenho conseguido fazer.

Não quero estragar a vida da minha mãe, mas também não quero vê-la se jogando nas situações desse jeito e fazendo coisas das quais pode se arrepender. Ela é a minha Adulta, e minha responsabilidade. Estou apenas pensando no bem dela, como qualquer dono cuidadoso... quero dizer, como qualquer filha.

14:16

Mais cedo fui ao parque e vi Hannah e Loops, que estavam loucas para saber os detalhes sobre mamãe e o Homem da Gravata Amarela.

Loops estava tão *esquisita*! Ela alisou o cabelo e, com isso, a cabeça pareceu ter metade do tamanho real. Estou acostumada ao cabelo dela, todo bagunçado, maravilhoso e encaracolado; aqueles cabelos lisos não combinavam nem um pouco com ela.

Mas, já que ela parecia muito satisfeita com o visual, não queríamos estragar seu bom humor. Por isso, nós mentimos. Dissemos que tínhamos gostado.

Usei minha camiseta azul porque estava quente (o clima, não a camiseta), e meus shorts jeans com remendos. Eu tinha conseguido esconder bem mais o que ainda aparecia do machucado no meu queixo, então estava me sentindo melhor em público. Nós nos sentamos em três balanços enfileirados. Balanços são um ótimo lugar para conversar, se ignorar as expressões tristes das crianças que não podem brincar com eles e seus respectivos Adultos no Modo Aborrecido.

— Ouvi dizer que ele estava andando por aí com uma centena de rosas nos braços — disse Hannah. — Vovó Sutton o viu e telefonou para a minha mãe imediatamente. E disse: "Gastando dinheiro à toa".

— Mas ele parece legal — disse Loops, que ficou movendo a cabeça para lá e para cá para esvoaçar o cabelo liso.

Eu e Hannah ficamos encarando Loops.

— Você tá falando *sério*? — perguntei. — Não vê o que ele está tentando fazer?

— Deixar sua mãe feliz? — sugeriu Loops. Ela pode ser bem profunda às vezes.

— Ele está tentando mudar tudo — continuei, sentindo o coração bater incrivelmente rápido. — Mamãe está tão distraída que esqueceu a consulta de Jack no dentista na semana passada! Se todos os dentes de Jack apodrecerem e caírem, a culpa é do idiota do Stuart!

Vi Neil Parkhouse e Thomas Finch passando pelo campo de futebol e vindo na nossa direção, mas não liguei.

Fiquei surpresa ao ver como eu estava envolvida com Stuart e minha mãe. Eu não sabia que o sentimento era tão forte até tudo vir à tona.

Loops cruzou os braços. Ela pode ser muito teimosa.

— Bem, talvez você precise dar uma chance a ele — disse ela. — Pelo menos eles estão felizes. Minha mãe e meu pai estão sempre ignorando um ao outro ou discutindo sobre quem vai levar o lixo para fora.

Pulei do balanço e fiquei de frente para ela.

— Por que você sempre toma as dores do outro lado e discute? Por que não pode ser apenas minha amiga? A propósito, odeio o seu cabelo assim.

Saí pisando duro na direção de Thomas Finch. Meu rosto estava vermelho de raiva. Provavelmente eu estava parecida com um tomate maluco.

— Opa! — disse ele, colocando as mãos para o alto.

— Eu me rendo!

Ele estava *falando* comigo. De verdade! E me deu um sorriso fantástico... que perdeu totalmente a graça, já que eu ainda estava muito zangada com Loops. Passei direto por ele e fui marchando até minha casa, fervendo.

Quando passei pela porta, o telefone estava tocando. Era Hannah, do celular.

— Loops lamenta não ter apoiado você — disse ela um tom de voz cuidadoso e reconciliador —, mas está muito chateada com o que disse sobre o cabelo dela. Katie, ela está até *chorando*!

Eu ouvia um lamento alto e desumano ao fundo. Só podia ser o gato de Loops ou o de Hannah sendo torturado. Presumi que fosse Loops.

Então tive que encontrá-las na casa de Hannah para dizer a Loops que o cabelo dela estava muito legal... e *depois* ela disse que eu estava certa e que o cabelo dela *estava* esquisito... *então* dissemos a ela que preferíamos ele encaracolado, mas que ela era muito atraente e bonita independentemente do cabelo... e *depois* comemos vários chocolates para ajudar na digestão e pedimos desculpa uma para a outra centenas de vezes.

Amigos às vezes dão trabalho.

17:24

Agora estou em casa de novo, sozinha, descansando. Por algum motivo, fico pensando em Thomas Finch dizendo "Eu me rendo!" com aquele sorriso. Eu estava muito irritada para aproveitar aquilo. Típico. E lá estava ele, se rendendo... O que estou *pensando*? Deve ser o calor me deixando confusa.

Ainda não consigo pensar em uma maneira de tirar minha mãe e Stuart do Modo Enfeitiçado. Preciso fazer com que vejam que, embora eles gostem um do outro, não têm *nada* a dizer um para o outro.

Mamãe finge estar interessada em tudo que Stuart diz sobre o meio ambiente, mas ela deve estar cheia de ouvir aquilo. Quando ela não estiver mais enfeitiçada, não vai mais esconder seu tédio. Ela vai bocejar bem na frente dele, e ele vai ficar pensando por que está com uma mulher que nunca acampou na vida!

Você deve estar tentando imaginar como minha mãe conheceu Stuart, um professor de Educação Física de Oxford (que fica a quase vinte quilômetros de Brindleton). Um homem *praticamente cinco anos mais novo que ela*.

Brindleton fica em uma "Região de Beleza Natural Marcante", de acordo com uma placa na entrada da cidade. Eu não concordaria, mas morei aqui a vida inteira, então parece bem comum para mim.

Existem trilhas para as pessoas caminharem, e às vezes as vemos com mochilas e meias por cima das calças. Andando por aí, admirando a natureza. Cantando "Fol-de-re! Fol-de-ra!".

Esse era Stuart há alguns meses — só não acho que ele estivesse fazendo o lance com as meias nem cantando. Mas como ter certeza?

Um dos fazendeiros locais acredita que é uma ótima piada ter touros em um campo que é atravessado por uma trilha. Ele odeia o povo da cidade. Stuart chegou àquele campo específico e se viu cara a cara com 25 jovens novilhos, dos quais alguns o ficaram encarando. Ele correu para a cerca mais próxima, feita de arame farpado, onde havia um galho dependurado. Ele subiu no galho, mas o galho quebrou e ele logo se viu sentado sobre a cerca, com as calças rasgadas e pedacinhos afiados de arame farpado presos no bumbum.

Sempre que eu me lembro da minha mãe e Stuart se agarrando na cozinha, fecho os olhos e o imagino sobre a cerca de arame farpado. Faz com que eu me sinta bem melhor.

DICA ÚTIL

Faça uso de técnicas de visualização avançada quando os Adultos perturbarem você. Existem diversos cenários nos quais você pode imaginar o Adulto:

a) Na privada, sofrendo de constipação;

b) Parado em frente a um pelotão de fuzilamento;

c) Sendo perseguido por texugos;

d) Deixe sua imaginação voar alto.

Stuart conseguiu se soltar da cerca (deixo por sua conta imaginar os efeitos sonoros) e mancou até a estrada mais próxima. Decidiu bater à porta da primeira casa que encontrou para pedir ajuda.

Mamãe estava em casa, fazendo macarrão surpresa de atum. A surpresa era o picles. Como já mencionei, minha mãe é uma péssima cozinheira.

Quando ele apareceu e explicou o que havia acontecido, ela pegou o kit de primeiros socorros e o encaminhou para o banheiro. Então — essa é a *pior* parte —, deu a ele um par de calças do meu pai que tirou de uma bolsa que nunca levara para a loja de caridade.

Quando cheguei em casa, Stuart estava à mesa da cozinha tomando uma xícara de chá, mas, assim que me viu, ele fugiu com a maior rapidez que as calças do meu pai permitiram. Estava claro que ele tinha gostado da minha mãe, mas não ficou muito entusiasmado com a ideia de ela ter filhos.

Percebi minha mãe agitada e distraída naquela noite. Na verdade, pode ter sido nesse dia que ela começou a procurar rugas no espelho. Então ela voltou ao normal até, cerca de uma semana depois, receber A Ligação.

— Como você conseguiu o nosso número? Lista telefônica? Oh, uau! Não, não se preocupe. Não acho que você esteja me perseguindo nem nada disso. Na verdade, estou *feliz* por você ter ligado...

E foi assim. O Homem da Gravata Amarela entrou nas nossas vidas.

Mas, se tudo der certo, ele não ficará por muito mais tempo. Sei que posso usar minhas habilidades para fazer com que mamãe recupere o senso e priorize o que é importante.

Ela precisa enxergar o verdadeiro Stuart. Ele pode parecer uma pessoa relaxada e (segundo Loops) atraente que a adora, mas, para ser franca, ele é um usuário-de-gravata-de-tricô-amarela, eco fascista, e que-odeia-televisão.

Assim que perceber isso, ela vai sair do Modo Enfeitiçado para o Modo Irritado. E, assim que ela encaixotá-lo, eu posso fazê-la voltar para o Modo Feliz e tudo voltará a ser como era antes. Fácil! Um desempenho perfeito na troca de modos!

Espere e verá.

Domingo, 16 de agosto, 18:05

PAREM AS MÁQUINAS

Acabei de acidentalmente encontrar algo muito interessante. Estava procurando minha escova de cabelos, que achei que tivesse rolado para debaixo da cama, e achei uma caixa velha de sapatos embrulhada em um dos casacos de moletom de Mandy.

Assim que a abri, percebi que estava repleta de itens especiais para Mandy: algumas fotos do papai e cartões de aniversário que ele havia lhe dado, além do chocalho de coelhinho que ela tinha quando era bebê.

Eu me senti muito culpada por olhar as coisas particulares dela. E estava prestes a fechar a tampa da caixa e guardá-la de volta no lugar quando avistei um pedaço de papel. Era a caligrafia cursiva de Mandy e dizia o seguinte:

Sra. Joshua Weston
Mandy Weston
Amanda Weston
Sra. J. Weston
Sra. Amanda Weston

Sr. e Sra. Joshua Weston
Doutor e Sra. Weston
Doutor e Doutora Weston
Doutores Weston

Joshua Weston é o irmão mais velho de Loops!!! Mandy gosta dele!!!!!!!!!!! Rá! Rá! Rá! Isso é incrível! Ela sempre o tratou tão mal. Todo mundo acha que ela o odeia, mas ela é apaixonada por ele!!!!! Isso é *tão bom*. Com certeza foi a melhor coisa que me aconteceu durante a semana inteira.

Doutores Weston é o melhor. Deve ser a fantasia de Mandy — os dois de jaleco branco combinando e estetoscópios. O que é *hilário*, porque ela é péssima em biologia; acho que até desmaiou uma vez, quando tentaram dissecar alguma coisa. É claro que Mandy está assistindo a muitas séries dramáticas com médicos na televisão.

Não acredito que Mandy também está no Modo Enfeitiçado! Que estranho ela estar pensando em se casar com alguém. Definitivamente está desenvolvendo cada vez mais suas tendências Adultas. Muito preocupante.

O cabelo de Joshua Weston não é tão vermelho quanto o de Loops; está mais para louro avermelhado. Grande parte do tempo, ele está de cara amarrada, provavelmente porque os pais estão sempre brigando sobre quem vai levar o lixo para fora.

Ele *não faz ideia* de que Mandy gosta dele; ela é *péssima* com ele! Deve ser a maneira dela de lhe dar atenção... mas parece ter tido um efeito negativo. Ele acha que ela o odeia! Então dificilmente ele a convidará para sair, não é mesmo?

He, he, he! *Mal posso esperar* até Mandy chegar em casa!

22:57

Quando Mandy finalmente chegou, eu a confrontei. De uma maneira muito madura, balançando a lista na cara dela e cantarolando "Mandy ama Joshua! Rá, rá! Rá, rá!".

Nunca vi minha irmã tão zangada. Ela superaqueceu imediatamente. Com certeza aquele não era o seu estado normal, "sou tão descolada porque tenho 15 anos". Na verdade, por alguns instantes pareceu que ela não conseguia respirar! Provavelmente porque ela sabia que eu andara olhando sua caixa de sapatos. Se pelo menos fosse tão fácil assim trocar o modo da mamãe nos últimos dias!

Quando se recuperou, Mandy me disse que, se eu contasse uma palavra do que descobrira para qualquer alma viva, ela diria a todos em Brindleton (possivelmente de porta em porta) que eu ainda fazia xixi na cama! O que, a propósito, não é verdade, se você quer saber. Mas não vou contestar nem gritar *de forma alguma*.

Decidido isso, conversamos um pouco sobre o assunto. Aparentemente, ela não tinha contado nem para as Clones que gosta de Joshua. Ela morre de medo que elas contem a ele e depois ele ria dela.

— Mas você não é feia nem estranha nem nada disso — falei. — Por que ele ia rir de você?

— Não sei — murmurou ela —, mas é o tipo de sorte que eu tenho. De qualquer maneira, se eu contar a Lucy e às outras que gosto dele, elas vão ficar pegando no meu pé dizendo que teremos bebês cenourinhas.

— Mas Joshua não é tão ruivo, é quase louro! — protestei.

— Você sabe como elas são — disse ela.

Ela está certa. As Clones podem ser tão *más* umas com as outras! Felizmente eu, Hannah e Loops não somos assim.

Foi bom conversar com Mandy e saber algo que as Clones não sabem. Fez com que eu me sentisse mais sua irmã novamente. Ainda que ela esteja preparada para contar mentiras terríveis sobre mim para o mundo.

Terça, 18 de agosto, 21:00

MODO IMAGINO VOCÊ SEM CALÇAS

O Modo Imagino Você Sem Calças é o modo no qual os Adultos entram quando estão muito interessados em alguém — normalmente é um famoso da televisão, mas, às vezes, pode acontecer com um infeliz de carne e osso. Estar no Modo Imagino Você Sem Calças significa que você quer tanto aquela pessoa que a imagina literalmente sem calças, o que significa que gostaria de ver o traseiro desse alguém — muito deselegante. Isso é TOTALMENTE NOJENTO e deveria ser desencorajado.

Coloquei em ação meu plano para a mudança de modo. Estou sentada no sofá com mamãe e Mandy, escrevendo estas palavras enquanto vejo um filme antigo, dos anos 1980, chamado *Feitiço da lua*, pela milésima vez. É o filme favorito da minha mãe, já que ela gostaria de tirar as calças do Nicolas Cage. Tem uma cena, que está passando agora mesmo, na qual Nicolas Cage diz "O amor não deixa as coisas legais, ele estraga tudo. E deixa seu coração partido!", que continua até se tornar um discurso sobre por que as pessoas se apaixonam pelas pessoas erradas.

Minha mãe adora essa cena e sabe as falas de cor. É tão engraçado vê-la recitando o roteiro — principalmente porque em uma cena ele diz "Agora quero que você suba comigo e DEITE NA MINHA CAMA!" Essa fala deixa mamãe muito animada, então é óbvio que ela está se imaginando no meio dos lençóis do velho Cage. Ecaaaaaaaaa!

Quando minha mãe e a tia Julie falam do Nicolas Cage e do Gary Barlow, elas sempre dizem: "Eu não o chutaria para fora da minha cama".

Isso quer dizer que outros homens, que não são Gary Barlow e Nicolas Cage, costumam ser chutados para fora da cama? Deve haver muitos homens dormindo no chão por aí.

Voltando para *Feitiço da lua*, estou certamente sendo lembrada do quanto ela gosta do Nicolas Cage e, ao ouvir aquele discurso sobre amar as pessoas erradas, imagino que mamãe ficará convencida de que Stuart não é tão bom assim — além de muito errado para ela!

Minhas habilidades em operar Adultos estão mais fortes do que nunca. *Definitivamente* minha mãe vai ficar mais tempo em casa agora. Eu disse a ela que Jack chorou um pouco quando fui colocá-lo na cama no último fim de semana, pois estava com muita saudade dela. Bem, os olhos dele estavam lacrimejando porque ele estava morrendo de rir depois que falamos sobre comer melecas. Então, tecnicamente, isso é chorar. Não sou uma Mentirosa Descarada e Indecente, não completamente.

DICA ÚTIL

As mães, em particular, têm a culpa programada e impressa em seus circuitos originais. Constantemente. Elas vão tentar esconder, mas no fundo estarão convencidas de que, se você se tornar um psicopata assassino, terá sido porque ela deixou que visse muitos episódios de Teletubbies.

Fazer com que seu Adulto se sinta culpado é apenas mais uma técnica operacional que ajuda você a se manter no controle. Use-a com sabedoria.

Queria que vocês tivessem visto a cara da minha mãe. Parecia que tinha a palavra "Culpa" tatuada na testa. *Certamente* teremos mais noites como esta, só nós quatro, juntos. Resultado!

E por falar em "imaginar alguém sem calças", não acho que Hannah esteja tão comprometida com Ben Clayden quanto diz estar. Só fica dizendo "Neil isso, Neil aquilo" ultimamente. Acho que ela gosta dele secretamente há séculos. Ele deve convidá-la para sair e os dois vão acabar tendo que se beijar. Isso é o que se espera quando você sai com alguém. Thomas Finch certamente não fazia ideia sobre essa parte do trato: ele nem conversava comigo, imagina se ia me beijar. E, para ser franca, eu estava de certa forma aliviada por isso... não pela parte sem conversa, mas pela parte sem beijos.

A verdade é que não faço ideia de como se beija. O que poderia significar um constrangimento sem precedentes caso a oportunidade surgisse antes de eu morrer. Tanto Mandy quanto as Clones já fizeram. Na verdade, não parecem fazer nada além disso. Embora Mandy ame Joshua Weston, isso não a impede de ficar agarrando pessoas da sua turma ao acaso, assim como as outras Clones fazem. Elas tratam isso como um hobby.

Eu, Hannah e Loops conversamos sobre o assunto na laje acima da garagem de Hannah mais cedo, enquanto pegávamos sol.

— Vocês sabem como se beija de verdade? Tipo, beijo de língua? — perguntei a elas.

— Bem, eu nunca beijei *direito*, se é isso que quer dizer — disse Hannah —, mas acho que você faz assim...

Então ela ergueu a mão direita e fez uma boca falsa com o indicador curvado sobre o polegar. E começou a fingir que estava paquerando o dedo, e isso incluía mover a cabeça de um lado para o outro e fazer meio que um biquinho de peixe com a boca.

— Hannah, você tem praticado com as *mãos*??!! — gritou Loops. Eu e Loops começamos a rolar pelo chão, rindo. Meu estômago doeu de verdade. Hannah parecia chateada.

— Quer dizer que vocês são especialistas? — provocou ela, sarcástica.

— Sendo honesta — falei —, não tenho a mínima ideia.

— E isso fez com que ríssemos ainda mais.

Hannah e Loops sabem que, quando eu deveria estar namorando Thomas Finch, na verdade mal ficava no mesmo ambiente que ele. É praticamente uma piada, o meu não relacionamento. Às vezes fico pensando se realmente namoramos ou se eu apenas imaginei aquilo.

— Eu já beijei de verdade — disse Loops casualmente.

— O quê? E nunca nos contou? — disse Hannah, se endireitando rapidamente para sentar como se tivesse sido insultada.

— Mas foi só na semana passada. — Loops sorriu para si mesma. — E eu precisava de um pouco de tempo... para pensar nisso tudo.

Eu me virei e apontei uma arma imaginária para a cabeça dela.

— Bem, continue. Com quem foi? Se não nos contar, teremos que matar você!

— Foi com Jonathan Elliott! — disse Loops. — Eu o encontrei no parque e ficamos sentados na cabana dos adolescentes por horas. Ele estava me contando sobre o universo e sobre como a Terra é pequena. Aparentemente, a Terra é como um pequeno e microscópico átomo se comparada ao nosso sol, e esse mesmo sol é um ponto ainda mais microscópico se comparado a *outro* sol chamado Antarus!

— Parece fascinante... — Não pude resistir comentar. Tenho que parar de ser tão irônica.

— CALE A BOCA! Deixe Loops terminar! — gritou Hannah, que estava irracionalmente empolgada.

— É estranho — disse Loops —, mas o que ele contou sobre a Terra ser tão microscópica e sobre como somos uma poeira dentro deste imenso universo me deixou muito assustada. Então ele pôs os braços ao meu redor e disse que sentia muito por ter me deixado chateada. Pensei que ele estivesse sendo gentil, mas de repente ele estava mesmo é me agarrando!

— E você não queria que ele agarrasse? — perguntei, pronta para ficar extremamente indignada por ela.

— Eu queria, mas não esperava que ele enfiasse a língua na minha boca com tanta rapidez. Achei que fôssemos dar uns beijinhos primeiro, não? Acho que ele andou se agarrando demais com uma menina que conheceu no último verão, nas férias, então definitivamente ele sabia o que estava fazendo.

— E você gostou? — perguntou Hannah.

— De certa forma, sim. Eu poderia me acostumar com isso — disse Loops, parecendo estranhamente pensativa.

— Então vocês estão namorando? — perguntei.

— Não. Ele me perguntou se podíamos nos encontrar novamente, mas eu respondi que não. Gosto dele, mas acho que tem experiência demais para mim. Fez eu me sentir uma iniciante.

— Bem, ele já é um especialista em relação a todo o resto! — falei. — Provavelmente tem um livro chamado *Técnicas avançadas de agarração* em casa.

— Não foi assim — disse Loops, ainda parecendo um pouco melancólica. — Apenas acho que não estou pronta ainda. Pedi que ele me chamasse para sair de novo daqui a alguns meses.

Então Loops andou se agarrando com alguém!!! Fico pensando em quem será a próxima. Uma parte de mim acha tudo isso muito nojento. Talvez por causa do Jack. A definição dele para pegação é "quando um adolescente lambe o interior da boca de outro adolescente". É o bastante para desanimar alguém pela vida inteira.

Quando penso nisso, ser uma freira careca, desdentada e barbada no Himalaia com apenas um burro me parece repentinamente muito sedutor.

Eu me queimei, e apesar dos *baldes* de loção pós-sol, meu nariz está vermelho vivo. Minha aparência está tão bizarramente mutante que garanto que amanhã vou esbarrar na pessoa que eu gostaria de ver sem calças: Ben Clayden.

Quarta-feira, 19 de agosto, 14:05

MODO ZANGADO

O Modo Zangado é explicável por si só. Tenha cuidado: se o seu Adulto estiver no Modo Estressado ou no Modo Ranzinza, ele pode facilmente entrar no Modo Zangado sem que você precise fazer muita coisa. Evitar o seu Adulto até que ele tenha se acalmado é a única opção a ser considerada. Qualquer outra atitude pode ser perigosa.

> **ATENÇÃO**
>
> *O Modo Zangado pode levar a (caso você force seu Adulto ao extremo) um curto-circuito e, em alguns casos, a uma sobrecarga definitiva. Isso deve ser evitado, já que pode comprometer seriamente suas funções.*

Minha mãe entrou no Modo Zangado esta manhã, o que não é nada típico dela. Mais uma vez, isso mostra como ela está se tornando imprevisível. Eu culpo Stuart. Não tenho uma boa razão; apenas quero que seja assim.

Estávamos no mercadinho fazendo nossa grande compra semanal, então, como sempre, ela estava sendo incomodada. Eu reclamava alto do meu nariz vermelho queimado, enquanto Mandy e Jack tentavam convencê-la a comprar revistas. Era um momento comum durante as compras, nada que a tivesse levado para o Modo Zangado antes.

Como normalmente acontece, mamãe disse a Mandy e Jack, com bastante convicção, que revistas não faziam parte do orçamento das compras. Vovó estava atrás do caixa ali perto, atendendo os clientes. E gritou:

— Muito bem, Alison. Não ceda, eles estão testando você!

Então tia Sarah (uma das primas da minha mãe — a que é casada com o assustador tio Allan, da família Gregg) entrou com minha arqui-inimiga, Leanne, e a irmã mais velha dela, Shannon, que é parecida com Leanne, só que pior. Leanne e Shannon seguiram direto para as revistas, e tia Sarah deixou que cada uma delas pegasse uma.

FATO TRISTE, PORÉM VERDADEIRO
Alguns Adultos dizem "sim" com mais facilidade do que outros.

— Mããão, a tia Sarah está deixando elas pegarem revistas *junto* com as compras do mercado! — gritou Jack.

Ele já havia gastado a mesada em doces, mas estava tão avidamente desesperado para comprar uma revista do *Doctor Who* que estava disposto a tentar qualquer coisa.

— Bem, eu não sou a tia Sarah! — disse mamãe, já demonstrando sinais do Modo Estressado.

— O que você quer dizer com *isso*? — perguntou tia Sarah, que pode ter se tornado uma Gregg apenas pelo casamento, mas tem grande parte das características assustadoras dos Gregg.

— O que eu quero dizer — explicou minha mãe — é que eles gastaram o dinheiro da mesada, e não comprarei revistas para eles, simplesmente isso. Algum problema ou algo assim?

Minha mãe não costuma ser intimidada com facilidade.

— Parecia que você estava tentando provar seu ponto de vista com "Eu não sou a tia Sarah". — Tia Sarah estava cara a cara com a minha mãe àquela altura. Tanto Mandy quanto Jack tinham devolvido as revistas às prateleiras e tentavam evitar os olhares presunçosos de "Eu tenho uma revista e você não tem" de Leanne e Shannon. Pelo menos uma vez, eu estava fora de perigo; estava escondida atrás da prateleira de salgadinhos.

— Interprete assim, se quiser — disse minha mãe. — Já tenho problemas demais.

— Ouvi dizer — disse tia Sarah, fungando.

— E o que *isso* quer dizer?

Dava para ver minha mãe encrespando.

— O seu namorado novo... — disse tia Sarah. — Deve consumir muito as suas energias educar suas crianças tão mal *e* sair por aí com seu novo brinquedinho.

Um silêncio horrível e medonho pairou. Uma parte de mim estava chateada pela minha mãe, mas preciso confessar que outra parte estava pensando: *É isso mesmo que mamãe precisa ouvir; é assim que as pessoas veem ela e Stuart.*

No caixa, vovó segurava um saco de açúcar no ar, suspenso entre o leitor de código de barras e a sacola do cliente na qual ele deveria ser colocado.

Saí de detrás da gôndola de salgadinhos e vi, para meu desespero absoluto, que Ben Clayden estava na entrada da loja e ouvira *tudo*. E não para por aí: ele tinha visto meu nariz de palhaço vermelho, néon, luminoso.

Este tinha que ser o pior dia da minha vida. Leanne e Shannon deram uma risada maldosa abafada.

— Olha — disse Leanne, apontando para mim. — O Natal deve chegar mais cedo esse ano. A rena no Papai Noel já está aqui!

— Vamos embora — disse minha mãe, agora em pleno Modo Zangado, empurrando a tia Sarah para passar. — Não temos o dia inteiro para ficar ouvindo pessoas falando besteira.

Demos a volta na loja em tempo recorde, jogando coisas no carrinho. Normalmente é assim que fazemos compras, para ser sincera; mamãe não gosta muito de fazer compras — bem, não esse tipo de compra chata de supermercado e coisas do dia a dia.

Corri para trás da minha mãe e do carrinho, com a cabeça baixa, torcendo para não ver Ben Clayden de novo. É claro que o vi pelo menos mais duas vezes e, em cada uma delas, abaixava minha cabeça mais e mais. Jack está sempre desejando ter a capa da invisibilidade do Harry Potter. Agora entendo por quê.

Normalmente há uma longa fila no mercado sábado de manhã. Quando chegou nossa vez de pagar, tia Sarah, Leanne e Shannon entraram no fim da fila.

— Está tudo bem, Allison? — perguntou vovó enquanto enchia as duas sacolas retornáveis que Stuart tinha dado a mamãe para não usarmos sacolas plásticas.

Estavam estampadas com "Salve a Natureza" dos lados. Mais um lembrete diário da intrometida filantropia dele.

— Sim — disse minha mãe entre dentes.

Eu sabia que ela estava muito zangada porque os nós de seus dedos estavam brancos, de tão forte que estava segurando a bolsa.

Vovó piscou.

— Pessoas com telhado de vidro não deveriam jogar pedras — disse ela.

— Sim — respondeu mamãe bem alto —, você está totalmente certa!

Tia Sarah inspirou fundo para falar, mas em seguida deve ter pensado melhor. Ninguém se mete com a vovó. Eu ri. Leanne me deu uma olhada feia. Vou me arrepender quando voltarmos para a escola, mas, neste exato momento, eu não poderia me incomodar menos.

Quando deixamos o mercado, minha mãe ainda estava zangada. Eu já sabia que teríamos um dia ruim se não conseguíssemos tirá-la do Modo Zangado rapidamente. Eu estava quebrando a cabeça tentando pensar no que deveria fazer ou falar, quando Jack resolveu o problema. Ele disse exatamente a coisa certa.

— Mãe, você sabe que temos estudado sobre os animais da África na escola, né? Bem, quando eu vi uma foto de um javali, pensei "É a Tia Sarah!".

— Jack! — disse minha mãe. — Você não deve dizer essas grosserias sobre as pessoas.

Mas eu vi que ela tinha gostado.

16:15

Normalmente é preciso acontecer muita coisa para mamãe entrar no Modo Zangado ou superaquecer. E é sempre fácil tirá-la dele. O segredo é fazê-la rir, e meu pai era especialista nisso.

Eu me lembro de quando papai saiu com colegas do trabalho e passou a noite inteira fora. Ele dormiu na casa do tio Kevin, mas não telefonou para avisar minha mãe. Ela só conseguiu ficar zangada até a hora do chá do dia seguinte, quando meu pai chegou e sentou-se na caminha apertada do Rascal com uma expressão muito engraçada no rosto. Quando ele se levantou, a caminha ficou presa ao bumbum dele, e é claro que ela não conseguiu deixar de rir.

Ainda não vimos o Stuart no Modo Zangado. Só Stuart feliz. Seria ótimo se, no fim das contas, ele tivesse um problema de temperamento e se transformasse em um monstro. Então mamãe o largaria ainda mais rápido, porque ela não é do tipo de mulher que lida bem com esse tipo de coisa.

Será que ele ficaria zangado se fizéssemos alguma coisa contra a natureza? Seria ótimo para minha mãe se ela visse um lado desagradável do Stuart perfeitinho. Um choque de realidade, se quer mesmo saber.

É importante saber no que os Adultos se transformam quando ficam zangados; isso diz muito sobre eles. Será que ele ficaria balançando os braços e começaria a gritar? Ou ficaria quieto? Teremos que descobrir. Ele não pode ser feliz para sempre, não se estiver envolvido com a minha família de alguma maneira. Tenho que ir falar com Mandy agora.

17:05

Acabei de conversar com Mandy sobre a ideia de fazer algo contra a natureza. Ela acha que é um plano ótimo, então, quando Stuart estiver por perto, vamos detonar o novo sistema de reciclagem que ele montou para a minha mãe. Em vez de colocar papel e plástico na lixeira de reciclagem verde, colocaremos na lixeira normal, como costumávamos fazer. Ele vai ver só!

23:34

Minha mãe decidiu ficar em casa conosco esta noite! Foi como nos velhos tempos — abraçadinhos no sofá, vendo televisão e conversando. Estava óbvio que as palavras que tia Sarah tinha dito fizeram algum efeito. Ela me ajudou a colocar loção pós-sol no nariz — fede muito. Tomara que resolva. Do contrário, meu nariz ficará no Modo Zangado pela semana inteira.

Domingo, 23 de agosto, 16:10

MODO FAZER ALGO LEGAL

Grande parte dos adultos entra de vez em quando no Modo Fazer "Algo Legal", principalmente quando sentem que precisam de uma pitada de luxo, ânimo ou variedade em suas vidas miseráveis. Na maioria das vezes, isso os deixa envolvidos em algum planejamento, se esforçando e, finalmente, aproveitando seja lá o que for que tenham planejado e se esforçado para alcançar. Quanto mais planejamento e esforço envolvido, mais determinado o Adulto estará a se divertir.

Minha mãe está no Modo Fazer "Algo Legal" o dia inteiro. Não acredito que seja porque ela quer deixar a vida mais animada ou variada — acho que tem mais a ver com ela se sentir mal por ter nos negligenciado em favor do novo namorado. Então, além de ter ficado conosco ontem à noite, hoje mamãe decidiu cozinhar "algo delicioso" para todos nós. O Modo Fazer "Algo Legal" é a maneira de a minha mãe pedir desculpa. É claro que ela está estragando o pedido de desculpas ao convidar a única pessoa que não queremos ter por perto.

Para piorar tudo, tem aquele detalhe: a comida da minha mãe...

MODO COZINHANDO

Um dos principais objetivos e funções do seu Adulto é alimentar você. Já estamos à mercê deles quando precisamos do dinheiro da mesada ou de carona para algum lugar. Os Adultos também controlam o que você come, algo fundamental para a saúde, mas que também é uma roleta russa: ou você terá uma alimentação saudável ou comida congelada com montes de gordura. Algo muito sério, na verdade, se você parar para pensar.

Se o seu Adulto tiver algum tipo de mau funcionamento no Modo Cozinhando, não há muito que você possa fazer, além de:

1) Comer o que ele cozinha e correr risco de vida;

2) Aprender a cozinhar sozinho assistindo a um dos milhares de programas na televisão que ensinam como fazê-lo;

3) Viver de delivery, rosquinhas e batata frita de saquinho e terminar a vida em um documentário chamado BRITÂNICOS GORDOS: PESSOAS QUE PRECISAM SER RETIRADAS DE SUAS CASAS POR UM GUINDASTE.

Meu pai costumava cozinhar em casa, comida de verdade, tipo torta de carne com batatas e assados, já que mamãe não se interessava muito por isso e ele gostava. Quando minha mãe teve que assumir essa função depois que ele morreu, foi difícil para ela. Ela dava duro na cozinha por horas para fazer umas coisas horrorosas. Ninguém tinha coragem de dizer a ela o quanto sua comida era horrível. Na verdade, tentávamos alegrá-la dizendo que estava delicioso.

O problema é que nos entusiasmávamos tanto para agradá-la que a fizemos pensar que ela realmente *sabe* cozinhar. E isso deixou tudo muito pior porque agora ela decidiu que é boa demais para seguir as receitas. E por isso, há cerca de meia hora, eu e Mandy nos oferecemos para assumir a função. Mas mamãe não quer nem ouvir. Ela acredita mesmo que tem talento para cozinhar, graças a nossa Mentira Nojenta.

FATO TRISTE, PORÉM VERDADEIRO

Se você disser a um Adulto que ele é bom em alguma coisa ainda que não seja, ele vai acreditar. Isso se aplica a cozinhar, dançar, cantar e muitas outras coisas. Tenha cuidado com o que diz a eles. Sabe esses Adultos sem aptidão alguma que aparecem nos testes dos shows de talentos da televisão? Alguém, provavelmente os filhos deles, disse que eles eram incríveis.

Em relação a esse assunto na cozinha, preciso dizer que falhei completa e miseravelmente na operação do meu Adulto. Ainda não tenho coragem de dizer a verdade à mamãe, nem Mandy — ela, na verdade, é um doce por baixo da aparência "tô nem aí". Talvez, um dia, encontremos a coragem necessária.

E é por isso que neste exato momento mamãe está misturando os conteúdos de diversas tigelas e pacotes, e Jack está arrumando a mesa com cuidado. Viu? Mais uma mudança: normalmente comemos na frente da TV!

Stuart deve chegar a qualquer instante, e provavelmente ficará a noite toda. Lembram do meu golpe de mestre para fazer com que a mamãe ficasse mais em casa ao se sentir culpada por causa de Jack? Bem, o tiro saiu pela culatra, porque agora *os dois* estão em casa! Ele tem vindo MUITO aqui e tem uma fixação pelo meu lugar no sofá: ao lado da minha mãe!

E adivinha? Rascal se mostrou um traidor de PRIMEIRA! Ele pula no colo de Stuart e fica se aconchegando! É meio irritante porque ele costumava fazer isso com o meu pai. Papai pegou Rascal no abrigo de animais quando eu tinha 5 anos. E é assim que Rascal agradece, traindo a memória do meu pai!

O julgamento de Rascal obviamente é tão ruim quanto o da mamãe.

23:32

Eu gostaria de poder dizer que o Modo Fazer "Algo Legal" era realmente legal. Infelizmente, imagine algo o mais distante possível de legal. Era assim. Um desastre.

Stuart chegou aqui mais ou menos às 17h e mamãe serviu um dos seus ensopados "ai-meu-deus-o-que-é-isso".

Nós nos sentamos e, como soldados na guerra, travamos uma batalha para chegar ao fim do jantar. Estava particularmente nojento. Eu não tinha certeza do que era, mas acho que continha passas. Stuart trouxera uma garrafa de vinho tinto. Ele certamente precisava dela para conseguir engolir aquela comida horrível.

Ele deve gostar dela de verdade, para continuar aqui e comer o que a mamãe serve.

Resolvi me entupir de pão com manteiga, como de costume.

Na metade da refeição, mamãe pigarreou e olhou para nós com um sorriso iluminado no rosto. Isso deixou claro que ela estava nervosa pelo que diria em seguida.

— Tenho novidades! — disse ela. — Stuart e eu estamos pensando em tirar uma folga!

Olhamos para ela sem expressão. Então — quando caiu a ficha da terrível verdade — percebi que minha mãe não estava planejando "Algo Legal" para *todos* nós. Ela não se sentia mal por nos deixar para trás. Nem estava lamentando. Essa coisa toda de cozinhar algo especial foi apenas para que amolecêssemos quando ela contasse que faria "Algo Legal" *com o Homem da Gravata Amarela!* Não que o plano dela seja legal. *Longe disso.*

FATO TRISTE, PORÉM VERDADEIRO

Para os Adultos, uma folga significa um fim de semana longe, durante o qual eles fazem sexo.

Sei que isso é triste, porém verdadeiro, porque eu vi um filme chamado *O diário de Bridget Jones*. Na verdade, assisti ao filme com a minha mãe. E aqui estava ela, bradando sobre isso na frente dos filhos. Ela também poderia ter se levantado e dito: "Tenho novidades! Stuart e eu vamos viajar para um longo fim de semana de sexo!"

A expressão de Mandy estava se fechando. Eu conheço esse olhar, e ele não quer dizer boa coisa. Significa que ela pode entrar no Modo Zangado total a qualquer instante. Minha mãe também percebeu, mas continuou:

— Estamos pensando em ir a Barcelona! Stuart vai me mostrar a arquitetura do lugar. Deve ser incrível!

Jack parecia confuso.

— Então você vai viajar para tão longe para ver arquitetura? — perguntou ele. — O que é arquitetura?

— Arquitetura é a maneira como os diferentes prédios são construídos... — começou Stuart, entusiasmado.

— Sim, Jack — interrompeu Mandy, sarcástica —, eles farão *apenas* isso desde o momento em que acordarem até o último minuto da noite. Vão andar por Barcelona durante três dias observando os prédios... de novo e de novo e de novo...

Mamãe olhou para Mandy.

— Legal — disse Jack, e continuou comendo.

Tentei ser benevolente em relação à coisa toda, mas na metade do caminho não aguentei e tive que brincar com a situação. Quero dizer, quando foi a última vez que viajamos assim? Não fizemos nada desde o último verão em Bognor, com a tia Susan, o tio Dave, Hannah e Matthew.

— Espero que vocês se divirtam muito — falei. — Eu *adoraria* ter a chance de ir a algum lugar empolgante.

— Nunca *viajamos para outro país* — sussurrou Mandy, alto o bastante e na direção de Stuart.

É verdade. Quando éramos pequenos, mamãe e papai estavam falidos. Depois meu pai ficou doente e desde então passamos os feriados e férias na Inglaterra, geralmente com parentes. Ventos fortes e a gente sentado na praia, na chuva, e comendo sanduíche de ovo cheio de areia; coisas desse tipo.

Fiquei pensando em como ela planejava pagar por essa folga... então lembrei. Nosso dinheiro para os Dias de Tempestade!

O silêncio era aterrador.

— Vou ajudar — disse Stuart, ficando de pé.

Mandy já estava tirando a mesa com uma expressão de mártir.

— Obrigada — disse mamãe.

Ela sabia que não podia dizer nada que não piorasse ainda mais as coisas. Eu me senti mal. Ela estava no Modo Feliz quando nos contou a novidade, mas agora parecia decepcionada e cansada.

— Você está fazendo um bom trabalho — disse Stuart a Mandy.

Mandy não respondeu, mas pegou o saco de plástico de pão vazio e colocou na lata de lixo normal, olhando diretamente para Stuart! Vi Stuart estremecer, mas ele não disse nada. Mandy encontrou meu olhar e sinalizou para que nos encontrássemos lá em cima.

Em alguns minutos, eu, Mandy e Jack estávamos mais uma vez no Quartinho, tendo o nosso segundo Conselho de Guerra.

— Que descaramento! — disse Mandy. — Ela está se tornando uma daquelas mães que saem de férias e deixam os filhos sozinhos em casa. Devíamos ligar para o Serviço Social.

— Seria um *pouco* exagerado — falei —, mas sabe o que isso quer dizer? Quer dizer que eles passaram para a segunda fase do relacionamento. Um fim de semana inteiro juntos é o que precisam para ver se conseguem passar muito tempo juntos sem terem vontade de matar um ao outro. Se eles conseguirem passar um fim de semana juntos, saberão que podem morar juntos!

Mandy parecia horrorizada.

— Eu não me incomodaria se Stuart morasse na nossa casa — disse Jack com sinceridade. — Ele é legal. E me deu um cofrinho da TARDIS, do Doctor Who.

— Jack, você não pode achar que alguém é legal só porque te deu um cofre da TARDIS! — disse Mandy. — Se Adolf Hitler tivesse dado a você um cofre da TARDIS você acharia ele legal?

— Sim — disse Jack. — Quem é Adolf Hitler?

Meia-noite

Sim, é oficial. Não consigo dormir por causa do mais recente mau funcionamento da mamãe. Mandy não parece tão chateada; está roncando como um búfalo. Encantador. Antes de se deitar, ela concordou que não podemos contar com Jack para nos ajudar na campanha para se livrar de Stuart.

— Você acha que ele percebeu que eu não reciclo? — perguntou Mandy.

— Com certeza — falei. — Acho que ele entendeu o recado. Daqui para frente, não devemos reciclar *nunca* quando ele estiver por perto.

— Boa ideia — disse Mandy. — O que mais podemos fazer?

Isso era bom. Minha irmã mais velha se aconselhando comigo sobre maneiras de irritar Stuart. Pensei bastante. Agora era a minha chance de mostrar a minha habilidade, meu vasto conhecimento na operação de Adultos.

— Eu sei — disse por fim —, e você sabe que ele odeia propaganda e usa aquela camisa Sem Marca o tempo todo, certo? Acho que precisamos de um pouco de publicidade!

— Katie — disse Mandy, admirada —, você é um Gênio do Mal!

— Eu sei — falei.

Às vezes é preciso admitir que você tem talento.

Terça, 25 de agosto, 9:15

MODO PREOCUPADO

Os Adultos entram no Modo Preocupado quando as coisas não acontecem como eles esperavam — principalmente se isso significar que você ou eles estarão em perigo, ou não inteiramente a salvo e em segurança.

Os Adultos também podem entrar no Modo Preocupado quando sentem que estão sendo criticados pelos outros ou que os outros estão zangados ou chateados com eles.

Acabei de entrar na cozinha, e minha mãe parece muito preocupada. Ela acabou de falar com vovó Sutton no telefone, que disse que ela nem precisava se preocupar em ir ao almoço para o qual ela havia nos convidado na outra semana. Definitivamente estamos no livro negro dela.

E acho que é porque vovó Sutton não está feliz por mamãe estar saindo com Stuart. Afinal de contas, papai era filho dela e de repente minha mãe aparece com um sujeito mais novo por aí. Parei de chamá-lo de Homem da Gravata Amarela. Agora faço como Mandy e o chamo de Brinquedinho.

Agora mamãe está no telefone com tia Julie. Provavelmente tentando se tranquilizar. Já que moramos todos em Brindleton, família é algo muito importante.

É claro que tantas tias, tios e primos não se dão bem o tempo todo, mas sabemos que podemos contar uns com os outros. Não sei o que teríamos feito sem todos eles depois que meu pai morreu. Tia Susan e tio Dave foram incríveis. Provavelmente porque tia Susan é irmã da mamãe e o tio Dave é irmão do meu pai — o que, tecnicamente, faz com que Hannah e eu sejamos duplamente primas! O que é legal, mas provavelmente não tão inusitado no caso de um lugar como Brindleton.

Jantamos na casa da tia Susan e do tio Dave por meses e meses até mamãe decidir que ia se aventurar nas loucuras da cozinha.

Ainda hoje, se minha mãe pegar o telefone e mencionar para o tio Pete ou para o tio Kevin que a porta de um armário precisa de conserto, eles vão aparecer na mesma noite. E, se alguém precisar da nossa ajuda, estaremos prontos para ajudar também. Cuidamos uns dos outros. É uma coisa boa.

Então não seria nada engraçado se houvesse alguma querela familiar graças ao Brinquedinho. Taí mais uma prova de que seria melhor para todos se mamãe o largasse.

Para completar, ela nem consegue conversar com Stuart sobre toda a confusão que ele está causando. Ele se comporta de maneira muito estranha quando o assunto é família. Sei que os pais dele moram em algum lugar de Oxford, mas ele sempre muda de assunto se você fizer muitas perguntas. Mamãe nos disse que ele não tem irmãos nem irmãs.

Outro dia, perguntei a ele quando ele iria visitar seu pai e sua mãe.

— Talvez no Natal — disse ele.

— Quando os viu pela última vez? — perguntei.

— Na Páscoa, acho — respondeu Stuart.

Era *tão estranho*! Parecia que ele achava normal visitar os pais, que moravam *tão pertinho*, duas vezes por ano! Até minha mãe pareceu surpresa diante disso.

— Você não *gosta* deles? — perguntou Jack.

Sempre podemos confiar em Jack quando se trata de ir direto ao ponto.

Stuart pareceu constrangido.

— É claro que gosto — disse ele, e depois ficou em silêncio.

Alguma coisa no tom de voz dele não nos deu vontade de perguntar mais nada. Posso imaginar o pai e a mãe de Stuart, pobrezinhos, sentados esperando pela visita dele. Mas Stuart está ocupado demais vindo à nossa casa para pensar nisso por um minuto sequer. E pensar que a bisavó Peters acha que é desprezada!

Terei que deixar minha mãe com suas preocupações por um momento; devo ir a Oxford com Hannah. Somos só nós duas, já que Loops está participando de um campeonato de ginástica olímpica. Mas mamãe me pediu para primeiro levar Jack até a biblioteca, porque ele quer uns livros do Asterix, então tenho que correr.

11:00

Acabei de voltar da biblioteca e estou correndo ainda mais para ir a Oxford... mas eu PRECISAVA escrever o que tinha acabado de acontecer. Lá estava eu na biblioteca com Jack, pedindo que ele se apressasse e escolhesse um livro do Asterix ou levaria um chute na bunda, quando ninguém menos que Thomas Finch entrou!

Thomas não nos viu, mas adivinhe o que ele fez? Foi direto para a seção de romances e pegou uns dez livros da Mills & Boon!!!!!!

— Oi, Thomas — falei casualmente ao me aproximar. — Não sabia que você era fã de romances desse tipo...

Por baixo do seu bronzeado, pude ver que Thomas ficou completamente vermelho.

— São para a minha mãe — gaguejou ele. — Ela está resfriada.

— Sim, imagino que sejam! — falei, com o que esperava ser um sorriso sagaz. — Vamos, Jack, temos que ir embora.

15:56

Foi *ótimo* viajar para Oxford com Hannah. Comemos hambúrgueres e depois subimos até o castelo de Oxford, onde passamos uma hora tomando uma xícara de café cada uma e observando as pessoas indo e vindo. Alguns dos estudantes estrangeiros do intercâmbio — os que vêm estudar inglês — são quase tão bonitos quanto Ben Clayden. Depois fomos a todas as nossas lojas favoritas. Não comprei nada, mas Hannah levou um cinto.

No ônibus a caminho de casa, contei a Hannah sobre Thomas e os romances da Mills & Boons.

— Não acho nem um pouco que sejam para a mãe dele — falei. — Posso apostar que ele os lê toda noite.

Hannah se escangalhou de rir.

— Isso é muito perverso, Katie — conseguiu dizer ela. — E eu achava que você gostava dele.

Por que ela pensava isso? Não gosto dele nem um pouco. Bem, talvez um pouquinho. Mas por que diabos eu iria querer sair com alguém que não consegue nem conversar comigo? E cujo livro favorito é *Amor sob o solitário luar*?

Hannah pensa umas coisas estranhas.

16:30

Minha mãe está na cozinha nesse instante, tomando uma xícara de chá com a tia Susan. Elas decidiram que mamãe vai fazer o almoço na nossa casa no sábado, assim tia Julie, tia Susan e tio Dave poderão conhecer Stuart de verdade. Essa com certeza é uma reação à reprovação da vovó Sutton.

Esse plano parece ter deixado mamãe um pouco mais animada, embora eu ache que ela ainda parece preocupada. Não gosto quando ela está no Modo Preocupado. O Modo Preocupado pode levar ao Modo Estressado e até mesmo ao Modo Triste, e nenhum deles é bom.

Sábado, 29 de agosto, 17:25

MODO ESTRESSADO

Quando os Adultos estão no Modo Estressado, é preciso tomar cuidado porque eles ficam nervosos com coisas que normalmente não os deixariam irritados.

É melhor lidar com o Modo Estressado da mesma forma que lida com o Modo Ranzinza ou com o Modo Zangado, usando como técnica evitar o Adulto independentemente de qualquer coisa. E nunca sugira que eles devem "relaxar". Essa é a pior palavra que você pode usar quando está próximo a um Adulto no Modo Estressado. É garantido que dizer isso vai levá-lo às raias da loucura.

Hoje foi um dia e tanto.

Minha mãe teve uma ideia bizarra: em vez de almoçarmos dentro de casa, fizemos um piquenique — esse tipo de coisa aleatória é a cara da mamãe.

Quando cheguei da casa de Hannah, mamãe estava de bobeira como sempre na cozinha, usando o macacão que tinha sido do meu pai. Mas eu podia ver, pela maneira como seus ombros estavam arqueados, que o estresse estava chegando. Então rastejei até o Quartinho, onde Mandy estava alisando os cabelos com uma estranha expressão pensativa no rosto.

— Temos que fazer alguma coisa para mostrar a mamãe que ele não é bom o bastante para ela — disse Mandy, sem nem mesmo dizer um "oi" antes.

E foi quando tive uma inspiração.

— Stuart tem alergia a pólen — comecei. — Por que não cortamos a grama enquanto mamãe estiver no mercadinho?

Um silêncio se instalou enquanto Mandy absorvia a informação.

— Genial! — disse ela.

Então, enquanto minha mãe estava na rua comprando os ingredientes para o seu piquenique, Mandy e eu fomos ao trabalho. Foram necessários cinco minutos apenas, pois nosso jardim é tão pequeno que nem conseguimos jogar swingball sem que nossas raquetes batam na cerca.

Quando mamãe voltou das compras e nos viu guardando o cortador de grama, ela deu um suspiro. Mães fazem isso às vezes: o suspiro súbito.

— Vocês cortaram a grama! Talvez isso provoque a alergia de Stuart!

— Ah, desculpe — falei. — Achamos que estávamos ajudando você.

— Tudo bem — disse mamãe, me envolvendo com o braço —, vocês são boas meninas. Querem ajudar.

Se ela soubesse...

Minha função era estender as toalhas de piquenique na grama recém-cortada, e, é claro, me certifiquei de que fossem cobertas por pedaços soltos de mato que não tínhamos recolhido de propósito.

Stuart apareceu primeiro. Ele ficou se agarrando com a mamãe na entrada e, pela expressão de Jack, eu sabia que ele estava pensando no Ood, com a cara cheia de tentáculos. E ele não era o único.

Assim que Stuart saiu, ele disse:

— Ah... vocês cortaram a grama...

— Stuart, desculpe... — disse mamãe. — Mandy e Katie esqueceram que você tinha rinite alérgica! Elas estavam apenas tentando ajudar.

Stuart lançou um olhar expressivo para mim. Fiquei pensando se ele suspeitava de alguma coisa. Já dava para ver que os olhos dele estavam começando a lacrimejar. Ele pegou um lenço grande (quero dizer, quem anda com um lenço hoje em dia? Escoteiros e seu avô, somente) e enxugou os olhos e o narigão, que começava a escorrer.

— Vou ficar bem — disse ele, não muito convencido.

— Bem, fique dentro de casa por enquanto — disse mamãe. — Você pode me ajudar com as bebidas.

Ela estava fazendo um ponche de frutas, e Mandy cortava as laranjas na cozinha.

— Oi, Mandy! — disse Stuart, com um tom de voz animado.

Mandy olhou para ele. Então continuou a cortar a laranja como se estivesse cortando a cabeça de Stuart em pedacinhos. Ele pareceu assustado e olhou para minha mãe. Minha mãe lançou um olhar questionador para Mandy, que continuou a cortar a laranja com um sorriso doentio no rosto. Naquele instante, a campainha tocou. Minha mãe já estava tão estressada que praticamente deu um pulo.

— Katie, você pode atender? — pediu ela, gritando.

Fui atender a porta. Era a tia Julie, carregando uma cesta de piquenique.

— Trouxe a minha comida — sussurrou ela. — Achei que seria mais seguro.

Tia Julie estava usando um vestido florido. O problema era que tinha babados demais e muitas cores fortes, então parecia que ela estava usando uma das cortinas da casa da vovó.

Tia Julie não é gorda, mas também não é magra. Ela tem "curvas", como minha mãe normalmente diz, o que quer dizer que minha tia tem a bunda grande. Aquele vestido deixava a bunda dela ainda mais gigante. Pude notar Jack olhando (ele não podia evitar, a bunda estava na altura dos olhos dele) e fiquei pensando se ele faria algum comentário. Para meu alívio, ele não disse nada. E eu não disse nada também, é claro; aprendi que a sinceridade nem sempre é bem-vinda pelos Adultos, principalmente se tiver alguma relação com a aparência deles.

— Lindo vestido, Jules! — cantou mamãe, alternando com facilidade para o Modo Mentira. — Entre, estamos na cozinha. Quer um copo de ponche?

Mamãe estava tão estressada que não se parecia em nada com ela mesma. Nem a voz parecia ser a dela — soava falsamente animada e amistosa.

— Que adorável! — disse tia Julie, imitando o tom de voz falso da minha mãe e piscando na minha direção.

— Olá — disse Stuart a tia Julie. — Está um clima apropriado.

Então um silêncio terrível pairou, o tipo de silêncio durante o qual todos gostariam de pensar em algo para dizer, mas não conseguem.

Stuart assoou o nariz. Os olhos dele começaram a ficar vermelhos.

— Você está resfriado? — perguntou tia Julie.

— É rinite alérgica — disse mamãe.

— Você tomou um antialérgico?

— Não tomo remédios — disse Stuart. — Tento usar apenas tratamentos naturais.

A tia Julie pareceu desapontada; seus lábios ficaram apertados como se ela estivesse se segurando para não dizer alguma coisa.

— E então, como foi seu encontro de ontem à noite? — Mamãe mudou de assunto rapidamente.

— Um verdadeiro pesadelo. — Tia Julie se sentou em uma das cadeiras da cozinha, como se estivesse cansada só de se lembrar do encontro. — Combinamos de nos encontrar no centro de Oxford. Quando o vi de longe, dei meia-volta e comecei a andar na direção oposta.

— Você nem se apresentou? — perguntou mamãe.

— Imagina! Eu liguei pra ele do ônibus para dizer que não ia conseguir chegar.

— Por que você não falou com ele? Talvez fosse uma pessoa legal.

— Ele estava usando um gorro com um pompom na ponta.

— De lã? Ah, não é tão ruim assim...

— Não, não só um gorro de lã. Um com pompom. Um gorro de lã *com um grande pompom em cima.*

— Ah.

— Sim, o tipo de gorro que apenas crianças muito pequenas usam. *E* estamos no meio do verão...

A campainha tocou de novo.

— Eu atendo! — disse minha mãe, e saiu voando da cozinha.

Ouvimos tio Dave, tia Susan, Hannah e Matthew no hall, e mamãe estava sendo extremamente educada. Quando eles entraram na cozinha, mamãe pediu que fôssemos nos sentar nos tapetes de piquenique no jardim, pois a cozinha era pequena demais para todos.

Mamãe fez o ponche circular e depois trouxe os pratos com os sanduíches. Ela voltou até a porta da cozinha e gritou para que Jack saísse novamente; ele tinha sumido no andar de cima.

Tia Susan tinha trazido a própria e enorme cesta de piquenique para a família, assim como tinha feito tia Julie. O que era um pouco grosseiro, pois mamãe teve muito trabalho. E dava pra ver que aquilo estava deixando minha mãe ainda mais estressada.

As únicas pessoas forçadas a comer os sanduíches de mamãe éramos eu, Mandy, Jack e Stuart, cujo nariz agora estava o dobro do tamanho normal — e não se esqueça: já era enorme. Os olhos jorravam água. Comecei a me sentir mal pelo que tínhamos feito. O rosto dele estava completamente inchado agora. Então pensei: e se o que fizemos o matasse? Seríamos *assassinas*.

— Você está resfriado? — perguntou Tia Susan para Stuart enquanto mordiscava uma coxinha de frango. Eu desejei que pudesse trocá-la pelo meu sanduíche de beterraba.

— É alergia — irritou-se mamãe.

— Você não tem um antialérgico?

— Eu não tomo antialérgico — disse Stuart. — Prefiro medicamentos naturais se for possível.

Soava como um *dèjá vu*.

Tia Susan bufou.

— Bem, seus remédios naturais estão funcionando muito bem agora. Alison, por que não pega um antialérgico para ele?

— Não, *realmente* não tomo esse tipo de coisa.

Stuart parecia muito desconfortável, mas era difícil precisar a razão:

a) Seu rosto que inchava rapidamente estava fazendo com que se parecesse com o Homem Elefante;

b) Tia Susan não aceita não como resposta;

c) O sanduíche de atum e geleia que ele tentava engolir.

— Ah, pelo amor de Deus. Por que você não TOMA O REMÉDIO SIMPLESMENTE? — gritou mamãe.

É assim que o Modo Estressado funciona: toda aquela tensão precisa deixar você de alguma maneira. Gritar era a reação mais comum na maioria dos Adultos, mas era tão atípico para a nossa mãe! Até mesmo *ela* parecia impressionada consigo mesma.

Stuart ficou olhando para ela sem acreditar, parecendo muito com o Homem Elefante doente. Ninguém sabia para onde olhar nem o que dizer. O que pareceu deixar minha mãe ainda mais irritada.

Felizmente, Jack sabe como agir no silêncio constrangedor.

— Tia Julie, o que quer dizer épico? — perguntou ele.

Desde o ocorrido, eu olhei no dicionário, e épico quer dizer:

ÉPICO (ADJ.)
1. De, constituinte, relacionado a ou sugestivo de um épico literário: *um poema épico.*
2. Que supera o comum ou ordinário, particularmente em alcance ou tamanho.
3. Heroico e impressionável em qualidade.

Tia Julie não tinha um dicionário com ela, então fez o melhor que pôde.

— Não tenho certeza absoluta — disse ela —, mas acho que quer dizer grandioso ou muito grande. Tão grande que é lendário.

— Ah! — disse Jack. — Então o seu bumbum é *épico*!

MODO IRRITADO

O Modo Irritado é um daqueles modos que podem ficar nos bastidores, o que quer dizer que alguns Adultos podem passar a vida inteira levemente irritados com tudo e com todos.

Outros Adultos só entram no Modo Irritado de vez em quando, normalmente por causa de alguma coisa que você fez ou falou. Alguns objetos deixados pela casa com certeza irão acionar o Modo Irritado. Por exemplo, grande parte dos modelos de Adulto vai responder com ênfase a papéis de bala largados, canecas com bolor, torradas velhas, pedaços de unha e roupas. Quando um limite é atingido, os Adultos entram no Modo Zangado.

Depois disso, o piquenique só piorou. Todo mundo percebeu que mamãe estava no Modo Irritado com Stuart. Eu, Mandy, Hannah, Jack e Matthew demos o fora assim que deu. Era estranho ficar lá sentado, tentando não encarar aquela cara cada vez mais inchada do Stuart.

Eu e Hannah decidimos ir ao parque.

— Bem, *aquilo* foi divertido — disse Hannah enquanto andávamos pela rua. — Ele realmente causou uma impressão!

— Não acho que sua mãe, seu pai ou a tia Julie queiram ver a minha mãe com alguém que prefere ter um rosto inchado mutante a tomar algum remédio, você acha? — perguntei.

— O rosto dele não é daquele jeito sempre — mencionou Hannah.

— Mas ele é sempre chato — murmurei. — Natural isso, orgânico aquilo. Está muito claro que ele não se importa tanto com a família para se esforçar. Minha mãe *tem* que ver o quanto ele é irritante agora.

Caminhamos lado a lado, aproveitando que estávamos sob o sol e bem longe daquela situação social horrível — em grande parte causada por minha culpa.

— Ouça — disse Hannah —, antes de irmos ver Loops, eu deveria te dizer uma coisa. Eu contei a ela que você não gosta mais de Thomas, então ela vai ver se consegue marcar um encontro com ele. Ela quer que a deixemos sozinha com ele se pudermos, então você vai precisar conversar com o Jonathan e eu com o Neil. Combinado?

Nos últimos quinze dias, Loops havia beijado Jonathan Elliott, mas o colocara em "stand-by" até que tivesse mais "experiência". E agora ela queria colocar suas garras (ou seria melhor dizer língua?) em Thomas Finch! Que vagabundazinha!

— Tudo bem por você? — Hannah estava me olhando de um jeito engraçado.

Eu enlacei meu braço no dela.

— É claro que sim — falei. — Espero que ela saiba que não vai conseguir conversar muito com ele.

— Não acho que ela esteja interessada em *conversar* com ele. — Hanna deu um sorriso afetado.

Senti uma coisa esquisita quando ela disse aquilo. Algo entre ressentimento e irritação, mas ao mesmo tempo doía. Disse a mim mesma para esquecer aquilo.

No parque, Hannah ficou conversando com Neil e eu com Jonathan (que me explicou como funcionava o motor de um avião — me matem agora, por favor). Enquanto isso, Loops piscava freneticamente enquanto conversava com Thomas. Ele não falou muita coisa. Nem precisou, pois Loops pode falar o bastante pelos dois. Ela enrolava seus cachos vermelhos nos dedos e o olhava nos olhos, rindo e flertando ao mesmo tempo.

Todas as vezes que eu dei uma espiada nos dois, ele parecia estar gostando da atenção dela.

Eles até caminharam um pouco em direção ao abrigo dos adolescentes, o mesmo lugar onde ela tinha se pegado com Jonathan. *Deve ser o covil dela*, pensei. Como uma aranha e sua teia, na qual ela pega a presa, deixando-a atordoada para depois devorá-la. Talvez ela queira passar por todos do nosso ano, pegando cada um dos meninos no abrigo dos adolescentes.

Por que estou tão incomodada com o que Loops faz? É totalmente irracional. Quero dizer, esse é um país livre, não é mesmo? Loops tem todo o direito de praticar uns amassos com quem ela quiser. Talvez eu só esteja com inveja por ela estar ficando mais experiente enquanto eu continuo a mesma Katie Sutton sem peito e de pernas finas que nunca foi beijada.

— Assim, o motor do avião funciona a partir do seguinte princípio: acelerar uma pequena partícula de ar até uma velocidade muito alta. — Jonathan continuava falando, achando que eu realmente me importava. Ele não parecia se importar por Loops estar conversando com Thomas.

Fiquei observando o sol brilhando através das orelhas de Jonathan, pensando em como era interessante que alguém tão absurdamente chato pudesse também ser um pegador experiente.

Assim que consegui, dei uma desculpa e fui para casa. Decidi que era o momento perfeito para reorganizar minha gaveta de meias. Há algo muito satisfatório no processo de arrumar meias, ou talvez eu só seja mesmo extremamente perturbada.

20:33

Então lá estava eu, juntando minhas meias cor-de-rosa antiderrapantes e fofinhas, quando Mandy entrou correndo e disse:

— Venha ouvir isso! — Ela me arrastou até o topo das escadas. Nós nos agachamos pelo balaústre e ouvimos. Mamãe e Stuart estavam brigando de verdade!

— Você devia simplesmente ter tomado o remédio — dizia ela com impaciência, quase indo do Modo Irritado para o Modo Zangado. — Seus olhos estavam praticamente fechados de tão inchados! Você estava *horrível*.

— Bem, sentar em um monte de grama recém-cortada não ajudou...

— Você não falou com Dave...

— Ele não falou *comigo*! Começou a ler o jornal! Fez palavras cruzadas! E você só conversou com suas irmãs. O que eu deveria ter feito? E acho que Mandy não gosta de mim. Ela não está reciclando o lixo.

— Não seja ridículo — disse mamãe, parecendo muito de saco cheio. — Como você pode achar que alguém não gosta de você só porque não está reciclando? Você está paranoico. Olha, não estou me sentindo bem. Estou com uma dor de cabeça de *rachar*. Vou para a cama. Acho que você deve ir para a sua casa agora, Stuart.

— Certo — disse ele abruptamente. Um pouco depois ouvimos a porta bater, então mamãe suspirou bem alto.

Se Stuart fosse um especialista em operar a minha mãe, como eu sou, ele saberia que ela precisava de uma xícara de chocolate quente e uma massagem craniana para deixá-la mais calma. Mas ele não é, e não sabe. Rá!

Definitivamente, isso quer dizer que minha mãe não está mais no Modo Enfeitiçado. É um grande avanço.

— Acho que temos problemas no paraíso — disse Mandy, alegre.

Domingo, 30 de agosto, 12:34

MODO DOENTE

Quando seu Adulto não está bem, não espere que ele desempenhe suas funções normalmente — isso se aplica igualmente caso estejam com um simples resfriado ou com alguma coisa mais séria. Não faça muito barulho também. Isso pode levá-los para o Modo Ranzinza, que não combina bem com o Modo Doente. Tenha cuidado ao lidar com o seu Adulto doente.

Bom, definitivamente descobrimos o quão resmungão o Stuart é. Uma crise de alergia e ele se transformava em alguém totalmente patético. Como ele se comportaria se ficasse gravemente doente como nosso pai ficou? Meu pai era tão bem humorado, mesmo quando estava realmente sofrendo. Mamãe tinha que ver a diferença. Tenho certeza de que tudo aquilo tinha afastado Stuart de vez.

Minha mãe se sai muito melhor em não estar bem. Ela precisa ser assim, considerando que cuida de nós há tanto tempo sozinha e sempre teve que nos colocar em primeiro lugar. Ela é bem calculista quando o assunto é doença. Vai levando enquanto pode, então vai para a cama pelo tempo que é possível ficar lá, então se levanta e segue em frente.

MODO CUIDADOSO

Os Adultos entrarão automaticamente no Modo Cuidadoso se você estiver doente. Faz parte da configuração padrão deles. Se o seu Adulto não é assim, então ele está com um grave defeito de fábrica.

Hoje acordei me sentindo muito mal. Minha cabeça dói muito e não quero levantar. Parte de mim pensou que poderia ser carma pelo que fizemos com Stuart ontem. Agora vou ficar doente nos últimos dias de férias... bem feito.

Às onze horas, mais ou menos, mamãe entrou no quarto e mediu a minha temperatura com um termômetro de ouvido. Ela entrou instantaneamente no Modo Compreensivo e começou a desempenhar a função Cuidados, na qual ela é brilhante.

— Ah, querida — disse. — O termômetro mostra que você não está nada bem. Onde está doendo?

— Minha cabeça dói muito — murmurei. Minha mãe abriu as cortinas do quarto.

— Não! — gritei. — Meus olhos doem!

É claro que eu devia ter imaginado que isso deixaria minha mãe apavorada. E é claro que em uma hora a tia Susan estava me cutucando. Ela chegou à conclusão que mamãe ainda não precisava me levar ao hospital, e saiu enquanto minha mãe me dava remédio.

Hannah e Loops chegaram e ficaram rondando na porta do quarto. Elas tinham algumas revistas, mas eu sabia que não estava bem porque nem consegui dar uma folheada. Nem mesmo olhei as páginas onde mostram as celulites das celebridades. Devia ser muito sério.

Depois que elas se foram, fiquei imaginando Hannah e Loops contando para Ben Clayden como eu estava seriamente doente. Talvez ele percebesse que me amava, apesar de todas as coisas constrangedoras que ele me viu fazer, tipo cair de queixo no chão ou me esconder atrás das prateleiras de biscoito no mercadinho com o nariz muito vermelho. Ou quando Jack soltou um arroto quando estávamos passando pela casa de Ben, e tenho certeza de que Ben pensou que tinha sido eu.

Depois pensei o que Thomas Finch pensaria se soubesse que eu tive que ser levada às pressas para o hospital. A coisa toda é ainda mais ridícula se pensarmos que nos últimos meses:

a) Eu dei um pé na bunda dele;

b) Passei batida por ele;

c) Ri da cara dele;

d) Dei permissão à minha amiga para chegar nele.

Então por que eu me importo com o que ele pensa?

14:00

Ficar deitada na cama sem ter muito o que fazer te dá muito tempo para pensar na vida. Então me vi pensando no papai. Ele ficou doente por tanto tempo. Deve ter se sentido tão entediado enquanto estava deitado. Fiquei tentando imaginar o que passava pela cabeça dele...

Quando eu era pequena, lembro que meu pai me colocava sentada sobre seu joelho, então me dava um superabraço e dizia:

— Você é bonita?

— Sim!

— Você é muito inteligente?

— Sim!

— Você é a mais corajosa?

— Sim!

— Você é uma linguiça?

Eu gritava de tanto rir nessa parte.

— Não!

— Você é invencível?

— Sim!

— Você é a melhor?

— Sim!

— Você é uma meia velha e fedorenta?

Sei que parece bobo, mas era uma brincadeira muito legal.

Meu pai ficou em casa nos primeiros seis meses e em seguida foi para uma casa de repouso, o que na verdade era muito bom, porque quando ele estava se sentindo mal, eles faziam de tudo para que ele ficasse confortável.

Quando ele se internou, íamos visitá-lo com frequência. No fim, não havia nada que ele conseguisse fazer além de sorrir para nós. Acho que é possível dizer que ele havia perdido todas as funções e modos no fim, com exceção do Modo Amor, que provavelmente é o mais importante deles. Acho que por isso mesmo ele conseguiu manter esse por tanto tempo.

MODO AMOR

O Modo Amor é diferente do Modo Enfeitiçado. É um modo brilhante porque deixa tudo melhor. Bem, na maioria das vezes, pelo menos.

Às vezes, o Modo Amor pode ficar como pano de fundo. Quero dizer, mesmo que o seu Adulto tenha entrado no Modo Zangado, eles ainda podem amar você (e provavelmente amam mesmo) — embora isso seja difícil de identificar quando eles estão roxos de raiva e gritando "Vá para o seu quarto!".

15:12

Mamãe entrou no quarto de novo para ver como eu estava. Ela se sentou na cama e acariciou meu cabelo.

— Está se sentindo melhor? — perguntou.

— Sim, agora que *você* está aqui — falei. — Você pode me abraçar e deitar comigo?

É ridículo. Quero dizer, tenho 13 anos. Mas às vezes você só precisa de um abraço... não importa quantos anos tenha. Ela deitou na cama ao meu lado e ficamos abraçadinhas.

Por um tempo, depois que o papai morreu, todos nós dormíamos juntos na cama da minha mãe — nós quatro e às vezes Rascal também. Mamãe precisava de milhões de abraços. Era uma extravagância de abraços. Eu ficava feliz por ela precisar de todos aqueles abraços. Nós precisávamos deles também.

Eu ganhei tantos abraços maravilhosos da mamãe hoje. É como se ela estivesse compensando cada abraço que perdemos desde que Stuart apareceu por aqui.

— Eu te amo — disse ela. — Me desculpa por estar mais distraída recentemente por causa de Stuart. Eu deixei de te dar atenção?

— Deixou de dar atenção a todos nós — falei, sorrindo para que ela visse que eu não estava falando sério —, mas eu te perdoo. Vocês terminaram?

— Não sei — respondeu. — Gosto dele, mas não é como quando eu comecei a sair com o seu pai. As coisas eram muito mais fáceis naquela época. Você se incomoda que eu saia com Stuart?

— Não — menti. — Só quero que você seja feliz.

Eu realmente *quero* que ela seja feliz. Mas, ao mesmo tempo, sou uma pirralha mimada que não gosta de dividir nada.

19:29

Mandy voltou há algumas horas; esteve passeando por Oxford com as Clones durante o dia todo. Ela entrou quicando no quarto, notavelmente feliz para variar um pouco. Carregava uma sacola plástica.

— Acho que talvez eles já tenham terminado — disse ela —, mas trouxe isso para o caso de precisarmos.

Ela tirou três camisetas da sacola, todas estampadas com logomarcas imensas.

— Genial! — falei. — Podemos usá-las se ele ousar aparecer aqui de novo!

Stuart não ligou desde que foi embora, e mamãe disse que não vai ligar para ele. Então talvez seja apenas isso. Talvez eles tenham terminado e as coisas voltem a ser como antes. Só nós quatro. (Ou nós cinco, se contarmos com Rascal).

Segunda-feira, 31 de agosto, 15:05

Pela manhã eu me sentia melhor, mas não bem o suficiente para fazer coisas por aí. Então fiquei vagando pela casa, lendo as revistas que Hannah e Loops tinham deixado e assistindo aos programas diurnos da televisão. Em sessenta anos, provavelmente estarei como a bisavó Peters, balançando minha bengala na direção da tela da TV e xingando. A não ser que, como tenho certeza que é como Stuart pensa, estejamos todos vivendo em uma espécie de terreno baldio, comendo nabos envenenados por causa do aquecimento global.

Hannah e Loops puderam me visitar direito à tarde, e me atualizaram sobre tudo que eu havia perdido. O que, claro, não era muita coisa: estávamos em Brindleton. Embora uma novidade fosse relevante.

— Você não vai acreditar — disse Loops, animada. — Joshua está saindo com Jenny Caulfield! Nós vimos os dois andando de mãos dadas.

Imediatamente me senti mal por Mandy, mas como ninguém sabia, não pude dizer nada.

Depois que elas saíram, pensei um pouco sobre corações partidos.

UM LEMBRETE SOBRE CORAÇÕES PARTIDOS

Você não vai encontrar peças sobressalentes para o seu Adulto, então é fundamental operá-lo com cuidado. Por exemplo, pode ser muito difícil consertar um coração partido. Às vezes, ele se quebra em duas partes, outras em milhares de pedaços.

Não tente executar procedimentos maiores sozinho, como transplante de coração. Os hospitais são os melhores lugares para inspecionar tais coisas no seu Adulto, e os médicos são muito bons em reparos gerais e manutenção. É melhor deixar os detalhes técnicos para os especialistas.

Quando meu pai morreu, o coração da mamãe se partiu em milhares de pedaços e eu realmente desejei que fosse possível levá-la para o hospital para que um médico remendasse aquilo. Eu desejei que um time de cirurgiões entrasse com vestes verdes e fizesse com que tudo ficasse bem, com uma passagem secundária ou uma nova válvula.

Mas a vida não é tão simples assim.

Fico pensando em como minha mãe está realmente se sentindo em relação a Stuart agora que eles terminaram. Não acho que ela esteja com o coração partido. Talvez alguns machucados, mas nada parecido com como ficou depois do papai.

18:20

Faz algum tempo que o telefone tocou lá embaixo, e eu simplesmente *sei* que é Stuart. Minha mãe está conversando com ele há séculos, numa voz abafada. Eu não consigo entender o que ela está dizendo, mas posso ouvir suas risadas.

E sinto meu coração afundando.

20:27

Há dez minutos, enquanto eu estava fazendo meu ritual de "limpar, tonificar e hidratar" a pele (só assim serei bela o suficiente para ser a futura Sra. Clayden), Mandy chegou. Eu sabia que ela tinha ouvido falar em Joshua Weston saindo com Jenny Caulfield só pela maneira que ela entrou no quarto.

— Tá tudo bem? — perguntei.

— Não quero conversar — disse ela, baixando a bolsa e escalando até a cama de cima do beliche.

Eu gostaria de poder chamar os cirurgiões para remendar o coração de Mandy, porque sei que ele está partido. Eu gostaria de poder dizer algo que a ajudasse. Mas nada ia adiantar. Não agora.

Quarta-feira, 2 de setembro, 16:24

*UM LEMBRETE SOBRE O MODO ZANGADO E OS
ADOLESCENTES*

*É preciso mais cuidado para lidar com um adolescente do que
com um Adulto, porque quando eles entram no Modo Zangado,
a coisa atinge outro nível. Assim como ocorre com os Adultos,
a estratégia mais eficaz é a Técnica de Evitar. Sua segurança
pode depender disso.*

Sei que este deveria ser um guia sobre os Adultos, mas
achei que deveria mencionar isso considerando que Mandy está no Modo Zangado desde domingo e ele continua no auge! Primeiro, ela descobriu sobre Joshua e Jenny; depois, percebeu que mamãe e Stuart tinham voltado. Ela está intratável desde então. E já que eu havia mencionado antes como um irmão mais novo pode arruinar seus planos, pensei que deveria avisá-lo sobre os irmãos mais velhos também. Tenho certeza de que Mandy vai provocar o superaquecimento de mamãe a qualquer instante...

Só de alguém simplesmente perguntar a Mandy se ela quer uma xícara de chá, ela virará um monstro, selvagem e raivoso. Então estou usando a Técnica de Evitar.

A maneira como faço isso é praticamente me mudando para a casa de Hannah, e foi assim que acabei me envolvendo no último esquema dela. Faz parte de seus planos salvar o mundo angariando dinheiro para a caridade. Eu e Loops temos a ajudado aqui e ali ao longo de todo o verão.

Hoje Hannah teve a brilhante ideia de vender algumas verduras do lote do vovô Williams.

— Podemos contar a ele depois — disse ela —, ele não vai ligar.

Então colhemos dúzias de batatas, cenouras e ruibarbo e levamos tudo para a casa de Hannah no carrinho de mão do tio Dave. Quando todas as verduras estavam lavadas, as colocamos de volta no carrinho de mão, mas arrumamos tudo de uma maneira mais artística. Daí empurramos o carrinho até a rua onde fica o mercadinho, mas a cerca de uns cinquenta metros dele.

Loops fez um cartaz que dizia: BATATAS. CENOURAS. RUIBARBO. TODOS OS LUCROS SERÃO REVERTIDOS PARA AS CRIANÇAS NA ÁFRICA.

E esperamos o dinheiro começar a entrar. Mas nada aconteceu. Ninguém parecia interessado, até que, finalmente, o Sr. Esquisitão Cooper apareceu e comprou um monte de cenouras, provavelmente só para ser gentil.

— Vou ficar como o Pernalonga quando terminar de comer tudo isso! — brincou ele. Nós rimos muito.

— Acho que vou levar algumas batatas também — disse ele. Peguei algumas na mesma hora para lhe entregar.

Naquele segundo, vovó Williams saiu do mercadinho para fumar um cigarro e nos viu! Ela veio dando ordens e gritando:

— O que está acontecendo aqui? Vocês têm uma licença?

— Mas é para caridade — protestei.

— E o caminho para o inferno está cheio de boas intenções! Espero que essas verduras não sejam do nosso lote!

Então percebi que Hannah e Loops não tinham parado para discutir; elas estavam já na metade da rua com o carrinho! O Sr. Esquisitão Cooper já tinha saído correndo com suas cenouras. E isso porque todos em Brindleton têm medo da vovó Williams. Eu inclusive. Ela é realmente assustadora quando está no Modo Zangado.

Corri atrás de Hannah e Loops, mas tive que ir mais devagar porque ainda estava carregando as batatas do Sr. Esquisitão Cooper. Então, quando virei a esquina, dei de cara com Thomas Finch. Deixei as batatas caírem no chão, e elas saíram rolando pela calçada.

— Desculpe! — falei, começando a catar as batatas do chão.

Eu imaginava que ele fosse me ajudar. É o tipo de pessoa que normalmente faria isso. Só que ele não fez nada. Ficou observando enquanto eu me arrastava no chão.

— Achou engraçado, não foi?— disse ele, olhando para baixo na minha direção.

Eu olhei para cima, confusa.

— Como é?

— Você acha engraçado: "Thomas Finch estava na biblioteca com uma pilha de livros de Mills & Boon. Ele deve adorar livros românticos!"

Fiquei de pé, me sentindo péssima, com uma braçada de batatas. Hannah deve ter contado algo para Neil Parkhouse.

— Olha, desculpe. Eu não quis...

— Eu fui à biblioteca pegar alguns livros para a minha mãe, que estava gripada, e agora por sua causa todos os meus amigos estão pegando no meu pé. Muito obrigado!

E depois de dizer isso, ele saiu.

Eu nunca tinha visto Thomas zangado antes. É estranho, mas me fez do nada ficar muito, *muito* a fim dele. O que é uma pena, considerando que é óbvio que agora ele me odeia. O que é bastante justo. Eu não deveria ter contado nada para Hannah.

18:10

Ainda me sinto péssima por ter deixado Thomas Finch chateado. Não consigo parar de pensar nele. Fiquei pensando que, se estava me sentindo tão mal assim por ser odiada por alguém de quem eu gostava, o quão ruim seria ter seu coração partido por alguém que se ama?

Então comecei a pensar na mamãe. Em algum momento ela vai terminar de vez com o Brinquedinho, e o coração dela vai ganhar ainda mais uma mossa.

Não quero que isso aconteça. Não quero que a minha mãe se machuque de novo. É por isso que é melhor que ela não se envolva com ninguém amorosamente. É melhor que ela fique apenas conosco, assim podemos tomar conta dela.

19:13

Acabei de me encontrar com Hannah e Loops na casa de Hannah, e dividimos uma enorme barra de chocolate. Eu não consegui aproveitar o momento, então voltei para casa. Não consigo parar de pensar no coração partido da Mandy, na possibilidade de mamãe se machucar de novo e em Thomas Finch me odiando. E não sei por quê, mas meu coração parece ferido. Acho que vou dormir cedo.

Eu não achava que me importava com as coisas tanto assim.

Sábado, 5 de setembro, 9:10

MODO MENTIRA

Todos os Adultos são mentirosos. Existem dois tipos de mentira: Mentiras Inocentes e Mentiras Altamente Prejudiciais. Provavelmente é melhor não pegar muito pesado com o seu Adulto ou Adultos se pegá-los contando uma mentira. Afinal de contas, os adolescentes mentem para os adultos cerca de 90% do tempo, então é melhor ficar quietinho e agradecer por tudo que eles não sabem que aprontamos.

Minha mãe conta Mentiras Inocentes o tempo todo, principalmente para a tia Julie quando ela chega aqui em casa usando roupas que não lhe caem bem — como aconteceu no dia do piquenique. Ela só faz isso para que minha tia não se chateie.

Mas, na outra semana, ela disse a tia Julie que não estava se sentindo bem e que iria dormir cedo, mas de repente ela se sentiu ótima e saiu com o Brinquedinho! É claro que a tia Julie descobriu; é impossível guardar um segredo em Brindleton. Essa é uma Mentira Altamente Prejudicial, com certeza! Acho que a Tia Julie ainda está chateada por causa disso, embora não tenha confrontado a mamãe.

Acho que minha mãe tem mentido para si mesma recentemente, dizendo que a relação dela com Stuart não passava de uma distração. E — muito mais grave — tem mentido para nós quando afirma que não passou a noite toda fora.

Sabemos que ela está mentindo; Mandy a viu se arrastando pelas escadas um dia.

Ela chamou mamãe de Pegadora bem na cara dela — e ela nem superaqueceu! Simplesmente riu.

Mais um motivo que poderia ter me levado para a linha direta de assistência ao menor.

Mandy tem atingido novos níveis no Modo Zangado, e termos o Brinquedinho na jogada de novo (e visitando todos os sábados) só está piorando as coisas. Ela está descontando em todo mundo. Até me chamou de a maior Mentirosa Altamente Prejudicial de todo o mundo por causa do esmalte favorito dela.

Ontem, durante o café da manhã, jurei que *não* tinha pegado emprestado o esmalte *nem* deixado a tampa fora do lugar (por isso ele estragou). Mas logo percebi que eu estava *usando o tal esmalte* — tinha me esquecido de tirar!!! Eu não sabia o que fazer, então continuei negando, embora Mandy estivesse apontando para as minhas unhas, incapaz de falar de tanta raiva e balançando a cabeça, sem acreditar.

Mas apesar do problema de Mandy em lidar com sua ira, concordamos com uma trégua temporária enquanto trabalhamos juntas para nos livrarmos de Stuart.

Mandy parece estar tratando o assunto como um grande objetivo de vida. É como se ela tivesse pegado toda a raiva e decepção que teve com Joshua Weston e direcionado para Stuart. Às vezes conversamos sobre "o problema Stuart" à noite, antes de dormir. Fritamos nossos cérebros para pensar numa maneira de irritá-lo e afastar mamãe dele. De certo modo, é o momento em que mais nos damos bem em séculos.

Mandy convocou uma terceira reunião do Conselho de Guerra comigo e com Jack ontem à noite.

— Então o Brinquedinho e mamãe voltaram — disse ela, o cenho franzido —, e esse é o plano dele. O objetivo final de Stuart é se mudar para cá e assumir o controle.

Mandy estava andando para lá e para cá no Quartinho (algo meio difícil, porque é preciso dar um passo à frente e logo depois dar meia-volta e dar um passo na outra direção). Jack e eu estávamos amontoados na cama de baixo do beliche.

— Acho Stuart OK — disse Jack, que ainda acha Stuart incrível por causa do fantástico cofrinho do TARDIS (o que significa, para quem estiver interessado, que o preço da aprovação vitalícia por parte de Jack era de sete libras e noventa e nove centavos).

— Jack, você sabe o que vai acontecer se a mamãe se casar com o Stuart? — disse Mandy. — Vou te contar. Ele não vai nos levar para a Disney. Não, esta é a *última* coisa que ele planeja para nós. Quando ele estiver no comando, teremos que passar os dias, todos os dias, reciclando e fazendo adubo. Provavelmente, fará com que *joguemos fora a televisão*. Então me diga agora, Jack, é *isso* que você quer que aconteça?

Jack parecia assustado.

— Não — disse ele, baixinho.

Achei que Mandy tinha exagerado com aquela Mentira Altamente Prejudicial, então eu disse:

— Provavelmente não seria tão ruim assim, mas de qualquer maneira não o queremos por aqui dando ordens, queremos?

— Vamos nos livrar dele, então? — quis saber Jack.

Mandy deu um suspiro exasperado. É claro que *ainda* queríamos nos livrar dele, mas seria perigoso admitir isso na frente de Jack, que anunciaria nossos planos durante a próxima refeição em família.

— Só queremos ter certeza de que eles são feitos um para o outro — disse ela, no Modo Mentira —, e você pode nos ajudar. Deve nos contar qualquer coisa que possa ser útil, qualquer coisa que ouvir deles ou qualquer coisa que contarem a você. Pode fazer isso?

— Sim — disse Jack. — Sou um espião *excelente*. Tenho meu kit de espião, e vou usá-lo.

10:45

Voltei da casa de Hannah e encontrei Mandy me esperando no corredor, usando sua camiseta estampada com uma logomarca imensa.

— Stuart está aqui! Suba e vista sua camisa! — sibilou ela. — Fiz com que mamãe usasse a dela.

Corri lá em cima e me troquei, então entrei calmamente na cozinha, onde Stuart estava alegremente bebendo uma xícara de café, como se aquela fosse a cozinha dele.

Ele percebeu minha camiseta, mas não falou nada; piscou algumas vezes apenas. Eu, mamãe e Mandy parecíamos fazer parte de uma convenção da logomarca.

— Não se preocupe, Katie — disse ele, no Modo Amistoso. — Não estou aqui para monopolizar sua mãe, só passei para ver se Jack gostaria de ir pescar! O material está no carro.

MODO AMISTOSO

Não é um modo ruim para os Adultos estarem. Significa que eles estão fazendo o possível para que você e outras pessoas gostem deles... o que deixa sua vida bem mais fácil.

Então lá estava Stuart, no máximo do Modo Amistoso. Até parece! No máximo do Modo Mentiroso, seria mais apropriado dizer. Como se ele realmente quisesse ficar sozinho com Jack, o menino de Brindleton que arrota. Estava bem claro que ele só estava fazendo aquilo para ganhar alguns pontos com a mamãe.

— Você tem *carro*? — Jack passou empurrando Stuart e correu para fora, onde encontrou um carro esporte antigo, um Triumph Spitfire, com a capota aberta e algumas varas de pescar aparecendo na parte traseira.

Eu mal podia acreditar! Normalmente ele anda de ônibus, vinha escondendo aquilo da gente. *Mais* mentiras! E que hipócrita — fica por aí falando sobre o meio ambiente, mas secretamente possui um carro esporte bebedor de petróleo!

— Sim — disse Stuart, orgulhoso —, venha conhecer a minha outra namorada. Está de folga das estradas faz alguns meses, sabe como esses carros antigos são. Mas agora está correndo como um sonho.

Mamãe ficou parada à porta da nossa casa, segurando Rascal e parecendo preocupantemente impressionada com o carro bacana de Stuart.

— Posso ir pescar, mãe? — Jack virou-se para minha mãe, os olhos brilhando. Naquele momento, Mandy *pigarreou* descontente e entrou em casa pisando duro.

— É claro que pode — disse mamãe. — Mas volte a tempo para o almoço. Farei algo especial, você vai sentir fome depois de ficar ao ar livre.

Stuart tentou parecer feliz com a ideia. Mentiras, mentiras e mais mentiras!

— Agora temos a manhã para nós, meninas! — começou mamãe, mas neste momento, Mandy surgiu de novo no corredor.

— Estou saindo, vou para a casa de Lucy — disse ela, puxando a porta de mau humor. — Volto na hora do almoço.

— Mas Mandy...

Era tarde. Mandy já tinha ido embora.

— Acho que somos só nós duas — falei.

— Ótimo — disse mamãe no Modo Amistoso —, que tal pintarmos as unhas do pé?

DICA ÚTIL

Se o seu Adulto estiver no Modo Amistoso e quiser ficar um tempo com você, faça a sua vontade. Estreitar os laços é muito útil e será muito mais fácil operá-los a seu favor.

12:30

Então pintamos as unhas dos pés uma da outra e concordamos que tinha sido um milagre Jack aceitar em fazer algo que não fosse no computador e que fosse ao ar livre. E parecia até que ele podia realmente gostar daquilo.

Então mamãe teve que ficar séria. Rá! Eu *sabia* que ela não queria passar tempo comigo simplesmente. Afinal de contas, a não ser quando estou doente, ela raramente faz isso. Que Mentira Altamente Prejudicial!

— Katie, você deve saber por que Mandy está tão mal-humorada — disse.

— Achei que ela só estivesse no seu estado normal — falei. Quero dizer, é verdade. O Modo Ranzinza e o Modo Zangado são o estado normal de Mandy hoje em dia.

Mamãe balançou a cabeça.

— É porque eu disse a ela que Stuart vai ficar aqui de vez em quando, dormindo no sofá, é claro. Não faz sentido que ele volte o caminho todo até Oxford, se vai voltar para cá no domingo, certo?

— Acho que sim — menti.

Eu sorri, e ela pareceu aliviada. Mas por dentro eu sentia um pânico crescer. Dei uma desculpa e subi as escadas para escrever isto, na esperança de que as coisas ficassem mais claras na minha cabeça. Isso não é nada bom.

E eu me lembro de mamãe dizer que você só deveria dormir com alguém que realmente amasse. Então isso quer dizer que talvez ela ame o Brinquedinho? Não acho que ela seja capaz, mas agora isso pode se concretizar, e precisamos agir rapidamente. O Modo Amor é o mais difícil de desligar num Adulto.

Sábado, 5 de setembro, 22:05

MODO DESAPONTADO

Se o seu Adulto estiver no Modo Desapontado, provavelmente você o decepcionou muito. Este é o pior modo para um adulto estar. Ele é ainda pior que o Modo Zangado, pois não pode ser tratado com a melhor das técnicas: evitar. A única maneira de tirar seu Adulto do Modo Desapontado é se você fizer alguma coisa, qualquer coisa, que o deixe orgulhoso de você.

Estou escrevendo isso do meu beliche, com creme antisséptico cobrindo a minha bochecha direita inteira. Mandy e eu estamos confinadas no Quartinho — oficialmente estamos *muito* encrencadas com mamãe. Ela está no Modo Desapontado, e nada que fizermos vai ser suficiente para tirá-la de lá... Talvez ela nunca mais sinta orgulho das filhas. Isso pode se estender por anos!

Depois que pintamos nossas unhas dos pés e conversamos, mamãe estava tão aliviada por eu não ter criado confusão e tão relaxada que — vejam que milagre — esqueceu-se de cozinhar, então quando Jack, Stuart e Mandy voltaram, tivemos que comer torrada com feijão. Jack estava completamente enlevado depois da pescaria, e Stuart estava se esforçando tanto que quase senti pena dele (tenho que parar de pensar assim, preciso focar no fato de Stuart ter intenções vis relacionadas a tudo de bom que ele faz).

— Você gosta das nossas novas camisetas? — perguntou Mandy inocentemente durante o almoço.

— Serei sincero com você — disse Stuart. — Não entendo por que gastar mais para conceder publicidade gratuita a uma corporação rica.

— Não sei por que Mandy gastou tanto dinheiro — disse minha mãe. — Normalmente gastamos muito menos com as camisas que compramos, não é, meninas?

Stuart pareceu preocupado.

— Quando roupas são baratas demais, é preciso tomar cuidado, pois podem ter sido feitas em lugares que exploram os seus empregados... — começou ele.

— Alguém quer sorvete? — disse mamãe num tom de voz excessivamente animado.

— Não sei... — disse Mandy. — Nós *podemos* tomar sorvete, Stuart? Ou ele é feito de gordura de urso polar por alguma criança esquimó órfã e explorada?

— Mandy! — gritou minha mãe.

— Tudo bem — disse Stuart, sorrindo. — Ela é engraçada.

Isso deixou Mandy ainda mais irritada.

À medida que o dia foi passando, percebi que mamãe e Stuart estavam se esforçando para termos uma espécie de "fim de semana em família". E isso incluía passarmos a noite de sábado juntos, com Stuart supostamente dormindo no sofá. Foi uma coincidência infeliz que eu e Mandy estivéssemos em casa.

Normalmente, quando acontece algo assim, mamãe aproveita para sair, pois sabe que tem duas babás para tomar conta de Jack. Mas nas últimas semanas estava bem claro que ela estivera pensando que todos nós precisávamos "estreitar nossos laços". À noite, ela até sugeriu que *jogássemos algo*! O quão louca ela estava? No fim, todos assistimos à televisão.

Mandy me prendeu na cozinha no meio da tarde mais ou menos.

— Eles estão testando como seria se fôssemos uma família, e agora ele está planejando ficar para passar a noite — sussurrou ela —, então é a nossa chance. O que podemos fazer?

Pensei por um momento, então tive outro lampejo de Gênio do Mal.

— Vamos *brigar*! Sabe quando mamãe diz que "estragamos a noite inteira"? — sugeri.

A expressão de Mandy se iluminou com a sugestão.

— Brilhante — disse ela. — Eu começo a briga!

Voltamos para a sala e nos sentamos. Jack estava no sofá entre a minha mãe e Stuart (a pedido de Mandy), então ela estava na cadeira e eu estava enrolada no gigante pufe com Rascal — que olhava atentamente para Stuart, como se preferisse estar enrolado com ele.

— Você pegou meu delineador de novo — disse Mandy num tom casual.

— Não peguei!

— Pegou, sim. Mãe, a Katie fica o tempo todo mexendo nas minhas coisas.

Não gostei do rumo que aquilo estava tomando. Eu havia concordado com uma briga, não em ver meu precioso nome e caráter sendo questionados.

— Não é verdade.

— E o esmalte, hein?

Ela tinha me pegado. Decidi que a melhor defesa era o ataque.

— Não fui eu quem roubou dinheiro da bolsa da mamãe.

Esse golpe tinha sido baixo. Só havia acontecido uma vez, e Mandy ia devolver; só que não morávamos numa casa com dinheiro o bastante para sumir assim.

Mandy ficou vermelha. Eu sabia que não deveria ter mencionado isso.

— Bem, pelo menos — começou — não estou escrevendo um guia sobre como lidar com Adultos. Não é ridículo? Você *sabia* que a Katie estava fazendo isso, mãe?

Cheia de ódio, olhei na direção de mamãe e Stuart. Minha mãe parecia estar no Modo Irritado enquanto Stuart parecia estar escondendo que, na verdade, estava achando nossa discussão hilária.

— Sabe o que você é, Mandy? — perguntei, reunindo toda a dignidade que consegui. — Você é uma lamentosa e chata vaca velha. Dá pra entender porque Joshua Weston não quer sair com você.

Do nada, Mandy estava voando na minha direção, antes mesmo de eu ter terminado o que estava dizendo! Senti quando as unhas delas arranharam dolorosamente o meu rosto. Peguei um punhado de cabelo dela e puxei o mais forte que pude. Ela me prendeu no chão.

— Retire o que disse! — gritou.

— Não, retire VOCÊ! — gritei de volta.

Jack estava dançando de tanta empolgação.

— Briga! Briga! — gritou ele, os olhos brilhando.

Mamãe ficou de pé num pulo e nos separou.

— PAREM! Vão para o quarto, as duas!

Enquanto saíamos envergonhadas para o quarto, pude espiar Stuart; ele não parecia mais tão entretido quanto antes.

Quando subimos as escadas, eu me preparei para uma reprimenda de Mandy, mas ela estava desconcertantemente feliz.

— Aquilo foi ótimo! — disse ela. — Desculpa pelo seu rosto.

Olhei no espelho do Quartinho e vi três arranhões vermelhos na minha bochecha. Primeiro o acidente que machucou meu queixo, depois o nariz queimado e agora isso — mais um episódio de bizarrice enviado pelos deuses para arruinar minha miserável existência.

— Obrigada por mexer nas minhas coisas — falei com uma pitada de amargura enquanto esfregava pomada antisséptica nos arranhões.

— Bem, você também mexeu nas minhas. Lembra? E se você deixa um caderno dando mole por aí durante semanas, o que você esperava? Se você acha que escrever Equações Matemáticas Complicadas na frente com marcador preto engana alguém, então você é ainda mais burra do que eu pensava.

LEMBRETE PARA MIM MESMA

Manter o guia escondido com cadeado e chave. Quebra de grandes proporções na segurança.

22:32

Algo bizarro acabou de acontecer. Jack entrou correndo no Quartinho, usando seus óculos de visão noturna e sem fôlego.

— Vocês *precisam vir*. Estive espionando mamãe e Stuart, eles estão no jardim. Estão conversando sobre algum tipo de SEGREDO que Stuart tem!

Seguimos um muito animado Jack até o quarto dele, onde a janela estava aberta e podíamos ouvir o que conversavam lá embaixo. Mamãe e Stuart estavam tendo uma conversa séria aos sussurros.

— ... não achei que fosse importante.

Era a voz de Stuart. Então houve um silêncio, e mamãe falou:

— Não achou que fosse importante? É *muito* importante! Não acredito que você pensou que não poderia me contar. Eu estava começando a pensar por que você...

— É que eu queria um recomeço. Não quero que as pessoas saibam isso a meu respeito de cara; quando ficam sabendo, elas não veem mais nada. Quero que as pessoas se aproximem pelo que eu sou, e não pelo que eu fui. As pessoas rotulam. Isso aconteceu comigo a vida inteira.

— Mas teremos que contar às pessoas mais cedo ou mais tarde. Você não pode mentir para a minha família sobre o seu passado.

— Ainda não. Não estou pronto. Eu vou contar, mas me dê mais tempo.

Ouvimos o som dos dois se beijando. Olhamos uns para os outros e fizemos cara de nojo. Odeio Stuart por conseguir tirar mamãe do Modo Desapontado com tanta facilidade e depois ainda ficar de agarração com ela. O que ele tem que nós não temos?

— Vamos entrar — pediu ele.

Quando ouvimos a porta dos fundos se fechar, Mandy imediatamente deu um assobio.

— Ele tem um passado secreto!

— O que você acha que é? — questionei.

— Ele deve ter passado um tempo na prisão. Só pode ser isso.

— Mas o vovô Sutton pediu ao amigo do tio Pete, que é policial, para verificar, lembra? Ele não tem ficha criminal.

— O que pode ser, então?

— Ele é um assassino? — sugeriu Jack, tentando também.

— Ou ele já foi mulher, ou gosta de se vestir de mulher — decidiu Mandy.

— É uma boa opção — falei —, mas as sobrancelhas dele são muito grossas. Homens que se vestem de mulher normalmente têm as sobrancelhas feitas. Ele disse algo sobre rótulo.

— Ai meu Deus! — gritou Mandy. — Talvez ele tenha uma *doença*. Algo terrível.

— Como a Peste Negra? — arriscou Jack. — Ou escorbuto?

— Talvez ele tenha uma doença da qual sinta vergonha — pensei. — Ou talvez ele costumasse *ser* de um jeito, um jeito que abandonou. Algo terrível. Talvez ele tenha sido guarda de trânsito!

— Acho que tem que ser algo vergonhoso, com certeza. — Mandy parecia animada. — Isso é *brilhante*! Pode ser a munição de que precisávamos! Temos que descobrir o que é!

Não acho que eu vá conseguir dormir hoje à noite. Stuart não quer que o rotulem. Mas por quê? Precisamos descobrir.

Deve ser algo realmente importante para ter distraído mamãe do Modo Desapontado com tanta facilidade.

Domingo, 6 de setembro, 13:24

ECONOMIA DE ENERGIA

Energia provavelmente é um grande problema do seu Adulto. Se seu Adulto gastar muita energia em coisas que não estão diretamente ligadas ao seu benefício ou felicidade, é claro que você está sendo privado de algo, de maneira repulsiva e num grau elevado. Para um desempenho otimizado, garanta que a energia do seu Adulto será usada para que você tenha alguma vantagem.

Por exemplo, se você levar seu Adulto para o shopping e ele der sinais de cansaço, dê um jeito de parar imediatamente para recarregá-lo com cafeína e alguma gostosura a base de açúcar. Isso deve restaurar os níveis de energia dele. Entretanto, se o seu Adulto ficar sem energia em casa, à noite, no sofá, não tente recarregá-lo. Deixe-o dormir. Só assim você vai conseguir ficar com o controle remoto.

Foi estranho ter Stuart para o café da manhã hoje, sentando à nossa mesa da cozinha de pijama e parecendo à vontade demais. Fiquei pensando se ele realmente tinha ficado no sofá-cama a noite inteira. Na verdade, não quero pensar na outra opção. É muito horrendo.

Hoje é o último dia das férias escolares, então minha mãe deixou seu Brinquedinho relaxando enquanto lia o jornal de domingo e nos levou a um complexo de lojas onde havia um supermercado, então pudemos comprar um estoque de uniformes, estojos e essas coisas.

Fico sempre atenta para monitorar os níveis de energia da mamãe quando estamos fazendo compras — hoje ela mostrou sinais de cansaço, então a levamos para tomar um café e comer um muffin, garantindo assim que ela estivesse "recarregada" e chegaria ao fim do passeio.

Ela estava cansada porque havia ficado acordada até muito tarde com o Stuart na noite anterior, conversando sobre o Grande Segredo dele. Essa *não* era uma boa maneira de gastar a energia dela.

Quando voltamos, minha mãe me mandou ir até o mercadinho, porque mesmo tendo estado no supermercado mais gigantesco que já vi, ela conseguiu, de algum modo, se esquecer de comprar pão. Se ela não tivesse gastado toda a sua energia, estaria mais alerta e atenta hoje. Felizmente temos idade suficiente para saber o tipo de uniformes que precisamos, porque não tinha a menor chance de a mamãe se lembrar.

Vovó estava lá fora fumando novamente. Ela usava seu casaco de chuva azul-bebê com o capuz levantado.

— É dura a vida de um fumante — reclamou ela. — Somos uma espécie em extinção.

No pacote de cigarros dela havia algo do tipo escrito: FUMAR MATA. VOCÊ VAI MORRER DE UMA MANEIRA HORRÍVEL, LENTA E DOLOROSA. UMA MORTE SEM DIGNIDADE ALGUMA, SEU PERDEDOR IDIOTA.

— Como estão as coisas? — perguntei.

— Ah, não posso reclamar — disse ela. — Almeje o melhor, mas espere o pior, como dizem. Então a volta às aulas é amanhã?

— Infelizmente — respondi. — De volta a toneladas de dever de casa.

— Bom, a escola não é tão fundamental assim. — Vovó apagou o cigarro ao esmagá-lo contra a parede. — Eu mesma nunca prestei muita atenção. Melhor voltar lá pra dentro. A propósito, pode dizer o seguinte pra sua mãe: Brindleton inteira sabe que o rapaz bonitinho dela passou a noite.

Entrei no mercado e peguei o pão. Eu estava olhando as revistas, tentando ler alguma matéria de graça, quando ouvi a inconfundível risada de Loops quando flerta. É uma risadinha irritante e estridente, que ela só usa com garotos dos quais gosta.

Andei na direção da risada, espiei o corredor e a vi na seção de Remédios e Fraldas. Com Thomas Finch! Eles não me viram. Estavam muito envolvidos na conversa. Sim, Thomas Finch NA VERDADE CONSE-GUE CONVERSAR QUANDO QUER. Ele só não quer conversar *comigo*.

Loops soltou mais uma risada estridente. Argh. Eu me senti extremamente irritada com aquilo. Depois fiquei irritada comigo mesma por ter me sentido irritada. Então decidi que eu estava irritada mesmo porque estava chovendo. Quando saí da loja, disse em voz alta:

— Chuva idiota!

— Provavelmente não é chuva.

Jonathan Elliott estava espreitando do lado de fora do mercadinho. Eu controlei minha vontade de meter a mão na cara dele com muita força. (Agora gostaria de tê-lo feito). Ele começou a caminhar ao meu lado. Acelerei. Ele acelerou também.

— Tecnicamente eu diria que é garoa — continuou de um jeito pomposo. — Acontece quando as gotas têm um diâmetro de menos da metade de um milímetro.

— Que fascinante — menti. Agora eu estava andando o mais rápido que podia. Infelizmente, as longas pernas de Jonathan Elliott conseguiam me acompanhar com folga.

— Estou feliz por ter esbarrado em você hoje — disse ele. — Eu estava pensando se você gostaria de sair... tipo, de sair comigo?

Desacelerei.

— Você está me convidando pra sair? — perguntei, surpresa.

— Acho que sim — respondeu na lata.

Neste momento, eu deveria ter dito:

— Não, Jonathan, eu não gosto de você e acho que é muito metido.

Gostaria de ter dito isso.

Mas, idiotamente, eu não queria magoá-lo, então eu disse:

— Desculpe. Não quero sair com ninguém por enquanto. Vou me concentrar nos estudos. Não é por *sua* causa, é por *minha* causa!

— Tudo bem — disse Jonathan, sem parecer nem um pouco tão arrasado quanto pensei que ficaria. — Prefiro a Loops. E, para ser totalmente honesto, Hannah seria minha segunda opção. Só convidei você porque parece que as duas vão ficar saindo com Thomas e Neil... então é você quem está livre no momento.

— Que elogio — disse eu, sarcástica. — Nem tenho palavras.

— A propósito — disse Jonathan —, o que houve com o seu *rosto*?

Ele estava olhando para as marcas de arranhão deixadas por Mandy. Saí pisando duro sem nem ao menos respondê-lo. *Qual é*!

No caminho de volta para casa, pensei sobre eu ser a terceira opção de Jonathan e decidi que provavelmente ele tinha razão. Não há nada de bom ou especial em relação a mim. Ai meu deus! Não tenho absolutamente *nada* a meu favor, seja o que for!

Hannah interpreta muito bem. Ela consegue papéis importantes em todas as peças da escola. Em parte é porque ela é muito bonita, mas é também porque ela não fica simplesmente recitando o texto, ela realmente faz com que pareça real.

É claro que Loops é ótima em ginástica olímpica. Ela dá um salto mortal no ar e você precisa vê-la nas barras. Fomos assisti-la competindo e ficamos impressionadas com o quão fantástica ela é.

E Mandy tem tido aulas de piano desde os 9 anos, desde que uma professora disse à mamãe que ela tinha um talento musical nato. Ela pratica todos os dias por meia hora no teclado, antes do café da manhã, com os fones no ouvido. Não sei se ela é boa porque não consigo ouvi-la tocando, devido aos fones — e ela se recusa a se apresentar na escola —, mas deve ser minimamente decente depois de tanto tempo praticando.

Todos parecem ter talento para alguma coisa, menos eu. Sou uma aluna mediana, com exceção de inglês, e nem mesmo nisso eu consigo ganhar prêmios — para ser honesta, provavelmente porque sou um pouco preguiçosa.

Brinquei comigo mesma por ser uma especialista mundial no comportamento dos Adultos, mas quanto mais escrevo neste guia, mais percebo o quanto eu não sei. Vejam como mamãe está descontrolada! Estou continuando só porque meu pai sempre nos disse que se você começa uma coisa, é bom que vá até o fim. "Ninguém gosta dos que desistem", ele dizia. E é provavelmente por isso que vovó Sutton ainda não deixou de fumar.

Eu nem mesmo sou bonita, com meus cabelos muito pretos, sem seios e as pernas magras com joelhos proeminentes. Hannah e Loops já têm curvas, mas eu ainda me pareço com um menino. Ou com uma bruxa. Na verdade, para ser mais precisa, eu deveria me chamar de a bruxa menino despeitada, queixuda e joelhuda! Pensando assim, estou até surpresa por Jonathan ter me convidado para sair, mesmo sendo a terceira opção.

E era nisso que eu pensava quando entrei em casa, ficando cada vez mais e mais irritada por ser Katie Sutton.

Então pensei: *Pelo menos posso conversar com a minha mãe sobre isso. Afinal de contas, coisas assim devem ter acontecido com ela quando era nova. Ela vai entender.*

Corri para dentro de casa e entrei logo na cozinha, pronta para botar tudo para fora. Eu realmente precisava conversar com a mamãe. Mas, é claro, me esqueci de que Stuart ainda estava lá, e provavelmente ficaria conosco o dia inteiro.

— Você ainda está aqui. — Não consegui evitar e deixei escapar.

— Katie, não seja grossa — disse minha mãe. — Stuart gosta de ficar conosco. Não vejo que problema tem isso.

— Esse é o problema! — gritei, e entrei no meu quarto pisando duro.

Dá para entender por que minha mãe está tão exausta e desligada. Ela só tem energia para Stuart recentemente.

Domingo, 13 de setembro, 18:16

OPÇÕES DO CONTROLE REMOTO

Você vai gostar de saber que poderá continuar operando o seu Adulto inclusive quando ele não estiver nas redondezas. Celular, email e mensagem de texto são ótimas maneiras de controlar seu Adulto a distância.

Entretanto, ter um Adulto muito conectado também pode ser um problema. Por exemplo, se o seu Adulto sabe alguma coisa sobre computadores, você pode ter certeza de que ele irá bisbilhotar o que você está fazendo online.

Pior que isso, alguns deles podem até criar a própria página em uma rede social — algo que tem Fator Constrangimento tão elevado que é praticamente impossível de medir. Seu Adulto anunciando o quão desesperada é a sua patética vida para o mundo todo ver. Terrivelmente trágico.

Acabei de mandar um torpedo para minha mãe para saber onde ela está. É a terceira vez nesta semana que tive que verificar seu paradeiro. Então o que há de errado nesta situação?

Quando ganhou um celular, mamãe levou séculos para entender como ele funcionava, mas quando aprendeu estava sempre me mandando mensagens para saber o que eu estava fazendo. Grande parte das vezes o texto era "Onde vc tá? Quando vc chega em casa?". Ainda assim, era bom saber que ela se importava. É fato que ela tem mandado menos torpedos recentemente, pois está envolvida demais com seu Brinquedinho no Modo Enfeitiçado.

E era a primeira semana da volta às aulas! Não posso evitar me sentir um pouquinho magoada por ela não estar por perto e por não ter perguntado como foram as coisas. Principalmente levando em consideração que não tive uma semana exatamente boa...

O ônibus da escola, que nos leva à cidade vizinha, vem nos pegar na beira do parque. Então todos nós vamos andando em um horário absurdamente idiota de tão cedo e ficamos lá parados, mesmo se estiver chovendo, esperando o transporte aparecer.

Os mais velhos sentam atrás. Ou seja, Ben Clayden, Harry, Jake e Joshua Weston. Também atrás ficam Shannon Gregg (medo) e suas terríveis companheiras, assim como Jenny Caulfield e sua amiga Sarah Jennings. Agora que Joshua Weston e Jenny Caulfield estão saindo, ela ainda senta com a amiga, mas ele se apoia sobre a parte traseira do banco para conversar com Jenny.

Mandy fica no meio do ônibus, fazendo tudo o que pode para evitar olhar para Joshua e Jenny. Ela divide o lugar com a melhor amiga, Lucy Parrish, e as outras Clones. Leanne Gregg também se senta no meio do ônibus com algumas das suas amigas barra pesada, que chamamos de Mutantes. As Clones e as Mutantes se suportam, mas não se misturam.

Essa organização faz com que eu, Loops e Hannah fiquemos com Neil Parkhouse, Thomas Finch, Jonathan

Elliott e alguns outros alunos do sétimo, oitavo e nono ano da nossa e de outras cidades na frente do ônibus. Sinceramente, eu não me importo mesmo. Gosto de sentar na frente porque assim você consegue descer primeiro.

A aparência de cada um não era tão importante quando estávamos no ensino fundamental, mas de repente há essa imensa pressão para parecermos incríveis *todos os dias*. Quero dizer, não podemos deixar que Ben Clayden nos veja se não estivermos com a melhor das aparências. Essa é uma das melhores coisas da volta às aulas: ver Ben Clayden todos os dias.

Uma vez, no último semestre, Hannah dormiu demais e o cabelo dela estava bagunçado, então ela estava um lixo. Um garoto da nossa turma, que morava em outra cidade e se chamava Matthew Hogg (você pode adivinhar seu apelido), tirou uma foto dela no celular e mandou para várias pessoas por Bluetooth. Hoje em dia, Hannah iria preferir perder o ônibus a sair por aí descabelada, e eu também.

Eu havia esquecido tudo sobre a pressão dentro do ônibus escolar e ter de deixar meu cabelo arrumado às seis da manhã, assim como me esqueci de lembrar das minhas coisas e que não deveria olhar nos olhos de nenhuma das Mutantes. Tudo bem no primeiro dia de aula, mas na quarta-feira não consegui ficar pronta a tempo. Hannah teve que ir sozinha, e quando cheguei ao ponto, o ônibus já estava saindo. Pude ver Leanne rindo da minha cara pela janela. Então liguei para casa e pedi para mamãe me pegar. Ela entrou no Modo Irritado, porque tinha uma aula às nove e teria que correr — mas ainda assim ela veio me buscar.

— Não *ouse* fazer disso um hábito — disse enquanto nossa lata velha rangia — ou vou pedir que sua tia Julie te leve na próxima vez.

Ela sabe que essa é uma ameaça relevante, pois a tia Julie é uma péssima motorista. Todos que precisam andar no carro com ela descem no seu destino tremendo descontroladamente.

Que lixo. A única vantagem em ter perdido o ônibus e ter que pedir pra mamãe me buscar foi descobrir que meu poder de controle remoto continuava funcionando em emergências.

Outro dia ruim foi quinta-feira pela manhã, quando tive que apresentar meu projeto de verão para a turma inteira. Eu estava bastante orgulhosa por ter feito aquilo. Foi sobre Rascal, e basicamente eram fotos dele com algumas informações, tipo a comida de cachorro que ele mais gostava e onde ele preferia passear.

O trabalho foi injustamente criticado pela Srta. Meias de Pelo, que na verdade se chama Srta. Brown, mas ela ganhou o apelido Meias de Pelo porque ela usa meia-calça preta e não depila as pernas, então os pelos ficam espetados para fora de um jeito atraente.

— Sinceramente, Katie, eu esperaria esse tipo de trabalho de uma criança de 9 anos, não de uma moça de 13. Estou extremamente desapontada, esperava mais de você.

A cabeçuda da Sophie Judd sorriu de maneira presunçosa, porque tirou nota máxima com seu trabalho sonífero sobre *Arte italiana no século XVI*.

Pelo menos o almoço de quinta-feira foi divertido. Eu e Hannah levamos nossos sanduíches para a sala de artes, que sempre fica aberta, e pudemos passar uma hora inteira conversando e desenhando enquanto Ben Clayden fazia seu mais recente projeto artístico — uma escultura esquisita feita de pedaços de madeira velha. Não consigo entender o trabalho, o que prova que deve ser obra de um grande gênio.

A Srta. Hooper estava arrumando a sala e conversando com Ben sobre como é frequentar uma escola de artes, então é óbvio que ficamos ouvindo. Ela é um pouco excêntrica, mas é legal e quer que todos amem as artes. Ela até já teve suas pinturas em exposições.

— Às vezes ficávamos no estúdio a noite inteira, pintando — dizia ela para Ben —, daí íamos tomar café da manhã numa pequena lanchonete na esquina.

Fiquei me imaginando indo para a escola de artes e pintando a noite inteira, mas então olhei para baixo e vi meu desenho de uma vasilha de frutas que não se parecia em nada com uma vasilha de frutas. Talvez não seja para mim, decidi.

Depois da aula, eu, Loops e Hannah voltamos para a casa de Loops e pintamos nossos cílios com um kit de tingir cílios. Nos meus não vi diferença nenhuma porque eles já são pretos, mas os cílios de Loops ficaram lindos. Eles são ruivos, então são praticamente invisíveis a não ser que ela use rímel, o que pode fazer parecer que estão grudados. Então esse kit funcionou muito bem para ela e para Hannah.

— Estamos deslumbrantes! — disse Hannah, dançando pelo quarto de Loops e piscando sem parar para mostrar os novos cílios.

— E agora estaremos incrivelmente bonitas quando acordarmos! E quando estivermos nadando! — disse Loops.

— Bem, fico feliz em saber que suas vidas infelizes agora estão perfeitas — falei, e Hannah me jogou um travesseiro, o que obviamente desencadeou uma deliciosa guerra de travesseiros.

Sexta-feira não foi tão legal. Eu gostaria de poder usar opções de controle remoto a fim de convocar uma guarda pessoal armada para me defender da maldade de Leanne.

Assim que descemos do ônibus, ela e a irmã, Shannon, me encurralaram no pátio e me deram trabalho. Elas jogaram minha lancheira na parede, cuspiram na minha mochila (o que foi totalmente nojento) e me empurraram e deram cotoveladas.

Aquela tinha sido uma vingança por causa da discussão que minha mãe tivera com a tia Sarah no supermercado. Fiquei a semana inteira esperando que algo acontecesse.

— Isso é por ter rido da minha mãe — disse Leanne, quando elas já estavam saindo empertigadas.

Hannah veio correndo; era tarde demais, mas pelo menos a intenção foi boa.

— Você está bem? — perguntou ela, preocupada. Eu estava me sentindo abalada, mas não ia admitir.

— Estou bem, elas são umas idiotas — falei.

— Bom, espero que você vá direto para a minha casa depois da aula — continuou. — Nem adianta argumentar!

Minha mãe não vai se importar se você chegar mais cedo. Você pode mandar uma mensagem para a sua mãe.

E foi o que eu fiz. Mas a função controle remoto falhou, pois o celular da mamãe estava sem bateria (como eu poderia adivinhar que ela estava ocupada demais correndo atrás do seu Brinquedinho para se lembrar de carregar o telefone?).

A coisa toda resultou numa grande briga entre minha mãe e Tia Susan.

Estávamos todos sentados comendo lasanha e batata frita de saquinho quando a campainha tocou; era minha mãe, no Modo Preocupado.

— Graças a Deus! Katie, eu não sabia onde você estava! Estava morta de preocupação!

Então expliquei que havia mandado uma mensagem para ela, e ela disse que o telefone estava sem bateria e teria ficado tudo bem, mas a tia Susan disse:

— Por que você ficou tão preocupada? Acha que não tenho capacidade de cuidar da sua filha?

E daí elas tiveram um discussão horrível, durante a qual tia Susan sugeriu que talvez mamãe soubesse melhor o que os filhos estavam fazendo se ficasse mais tempo em casa e que todos podiam ver que ela estava passando tempo demais com o seu novo homem.

Isso fez com que minha mãe superaquecesse imediatamente, entrando no Modo Zangado.

— Vejo você pela manhã, Katie!— disse antes de sair da casa batendo a porta.

Ela realmente está se transformando em uma pessoa muito diferente.

Tia Susan sentiu tanta pena de mim — eu era uma criança negligenciada, afinal — que entrou no Modo Fazer "Algo Legal" e preparou chocolate quente para a gente! Depois comemos pipoca, vimos um filme e agimos como de costume às sextas: conversando e de preguiça pela casa.

Só houve um momento chato, quando fomos para a cama e Hannah começou a contar tudo sobre Neil Parkhouse, Thomas Finch e Jonathan Elliott.

— Acho que Loops e Thomas combinam muito, você não acha? — disse ela enquanto estávamos deitadas. — Acho que ele gosta dela, especialmente agora que os cílios dela estão lindos. Ele é tímido apenas. Loops disse que vai convidá-lo para sair se ele não o fizer.

Puxei o cobertor sobre a cabeça, desejando ter um controle remoto para diminuir o volume daquela tagarelice. Gostaria que ela acordasse para a vida e, para variar, falasse sobre algo diferente.

O que está havendo com todo mundo que eu amo?

Quinta-feira, 24 de setembro, 19:36

LIMITAÇÕES DE CONTROLE

Infelizmente, o seu Adulto é um ser humano. São feitos de carne e osso, e isso significa que existem limitações relacionadas a quanto é possível prever do comportamento aleatório perverso e irritante deles. Se existisse o avatar de um Adulto, você poderia escolher a opção ejetar ou mandá-los para uma órbita virtual em um clique. Mas o seu Adulto é real, então tristemente estes métodos não podem ser usados.

Eu odiaria ter um desses tipos de Adultos robóticos, com a casa perfeita, cabelos impecavelmente arrumados e que sempre respondem "maravilhoso" quando alguém pergunta como estão as coisas. Sempre adorei minha mãe por ser normal, humana e, como grande parte das pessoas do planeta, um pouco atrapalhada. Tem aquele ditado, "A vida se resume ao que acontece quando se está fazendo outros planos", que minha mãe colou na geladeira. É tão verdadeiro. Mas mesmo quando a vida deixou mamãe imprevisível, pelo menos eu sabia onde estava pisando. E neste momento eu apenas me sinto tão confusa.

Vou deixar os recentes problemas de operação da minha mãe sob as limitações de controle. Sei que é uma estratégia ridícula de apoio, mas é tudo que me resta.

Ainda assim, apenas mais um dia para o fim de semana, embora Stuart esteja cada vez mais enraizado em nosso sofá nas noites de sábado (gostaria que ele fosse um avatar e que eu pudesse ejetá-lo).

Vou ligar para Hannah em um instante, mas quis me focar no guia primeiro. Acho que não tenho conseguido escrever tanto quanto consegui durante as férias de verão, graças aos deveres de casa. Hannah ingressou na turma de teatro na escola, como havia falado que ia fazer. É justo; ela disse que quer ser atriz, então a turma de teatro é um bom lugar para começar a treinar para tal. E há dois anos os professores têm pedido para ela participar.

Eu tenho sido bem reticente com ela para que perceba que estou de saco cheio da sua obsessão com meninos. Neil Parkhouse é, por acaso, da turma de teatro. Coincidência? Acho que não.

Por isso, nos almoços de quarta-feira, Hannah tem sido toda dramática, fingindo ser uma árvore com a Sra. Edgerton, Neil Parkhouse e o restante dos puxa-sacos. Loops está na ginástica olímpica, então fico sozinha.

Isso significa que preciso passar a hora inteira do almoço me escondendo de Shannon e Leanne, que acreditam ser um esporte sangrento me perseguir e me atormentar com diversas formas de tortura, incluindo:

- Empurrão;
- Cotovelada;
- Me fazer tropeçar (muito original);
- Pegar minhas coisas e espalhar pelos corredores ou pelas escadas;
- Puxar a alça do meu sutiã (enquanto dizem "Você não precisa disso").

Precisam apenas de uma corneta e de alguns cachorros. Ainda assim, correr pela escola tem me deixado em forma.

Para tentar esquecer meus problemas e também porque eu estava quase me convencendo a contar a ela sobre o bullying, fui visitar a tia Julie outro dia. Ela estava visitando mais um site de namoro na internet — "surfando pelo amor", como gosta de dizer. A casa dela está se tornando um verdadeiro lixão; acho que ela pode ser viciada em sites de namoro online. Havia xícaras com resto de café frio por todo o canto, e pratos com restos de comida delivery.

Se ela conhecer alguém que não seja maluco e convidá-lo para ir até aquela casa nojenta, não vai ser nada bom. E se Gary Barlow aparecer de verdade? Se for ele, aposto que ela vai desejar ter limpado a privada.

— Desculpa pela bagunça — disse ela, não parecendo nem um pouco ressentida. — Encontre um espacinho, vou esquentar água na chaleira. Acho que tenho alguns biscoitos em algum lugar.

Gosto de quando ela me trata da mesma maneira que trataria a minha mãe.

Consegui encontrar um espaço no sofá e comecei a folhear uma revista de fofoca enquanto a água esquentava. Outro jogador de futebol havia se casado. Havia uma foto do casal parado em frente a um bolo de três metros de altura.

— Então, o que está havendo? — disse tia Julie ao chegar com o chá e os biscoitos. — Sinto como se mal visse sua mãe. Nem me lembro da última vez que tivemos uma das nossas noites de sexta-feira!

Para animá-la, contei sobre a conversa de mamãe e Stuart no jardim, repetindo mais ou menos palavra por palavra o que tínhamos ouvido. De repente, ela pareceu devidamente interessada e impressionada.

— Ah, *isso* é uma chance! — disse ela, distraindo-se do biscoito por um instante. — Eu devia ter adivinhado que havia algo de errado com ele. Quero dizer, que tipo de pessoa não toma antialérgico?

— Então, o que acha que ele vem escondendo? — perguntei.

— Não consigo decidir se é uma doença ou se ele é travesti — meditou Tia Julie. — Talvez os *dois*.

Eu me senti melhor ao ver que a Tia Julie pensava como nós. Definitivamente ele era *muito* evasivo.

É tudo que consigo pensar em escrever agora. Vou ligar para Hannah.

21:27

Ai. Meu. Deus!!!!!!!!!!!!!!!!!!!!!

Hannah está saindo OFICIALMENTE com Neil Parkhouse! Mas mal posso acreditar que ela tenha esperado que eu ligasse para me contar. Se eu tivesse ficado sabendo por outra pessoa qualquer, definitivamente eu não estaria conversando com ela.

— *Por favor*, não fique chateada — disse ela. — Não posso ficar esperando Ben Clayden para sempre.

— Quando foi que isso aconteceu? — perguntei.

— Dez minutos atrás! Você sabe que ele tem me mandado mensagens há semanas, não é? Desta vez, ele escreveu na mensagem "Vc eh minha namorada?", então eu respondi "Sim". E agora é oficial.

— Entendo que você não tenha conseguido se controlar — comecei, me sentindo feliz por ter sido a primeira pessoa a saber. — Está bem claro que você é uma *conquistadora*.

— Não me surpreenderia se Loops recebesse uma mensagem de Thomas Finch hoje — disse Hannah.

— Por que você acha que ele faria isso? — perguntei, de maneira bem incisiva.

— Porque mandei outro torpedo para Neil dizendo "Thomas podia mandar 1 msg p/ Loops tb p/ saber se ela tb eh a dele".

— Hannah! Você deveria fazer isso?

— Claro que deveria! Loops está aqui, foi *ideia dela*!

Então ouvi a risada histérica de Loops ao fundo. Era Loops. E eu pensando que tinha sido a primeira a saber. Que idiota.

— Você ainda vem dormir na minha casa amanhã? — perguntou Hannah.

— É — falei, sem muito entusiasmo. — Acho que sim.

— Legal, vou preparar uns nachos com molho de queijo.

Hannah está tentando ser legal, mas eu me sinto encurralada. É como se Hannah e Loops tivessem decidido como seriam nossas vidas. Provavelmente decidiram quantos filhos cada uma de nós terá. E tenho um pressentimento terrível: no grandioso plano delas eu terei muitos bebês-gênios com orelhinhas de abano.

Por que tudo está saindo de controle?

Sexta-feira, 25 de setembro, 22:39

Foi difícil dormir ontem, pois fiquei pensando na Hannah saindo com o Neil Parkhouse. Não consigo acreditar que Loops e Hannah enviaram uma mensagem praticamente *mandando* que Thomas Finch convidasse Loops para sair!

Hoje ele estava ao meu lado na fila do almoço. (Às sextas, mamãe nos deixa comer na escola em vez de levar a comida de casa, mas não é nada animador também; pararam de vender batata frita porque há muitas crianças que pesam mais de cem quilos, ou algo assim).

— Tudo bem? — perguntei para Thomas num tom de voz amistoso, enquanto colocava uma generosa porção de purê de batata no prato.

Ele só grunhiu. Óbvio que ainda estava chateado por causa daquele episódio com os livros da Mills & Boon. Então Loops chegou, com os cabelos esvoaçantes e piscando os olhos, toda charmosa.

— Oi, Thomas — disse ela, olhando para ele como se o idolatrasse —, se importa se eu entrar na fila com você?

E ele *deixou*! Depois, pelo restante do tempo que passamos na fila, eles ficaram conversando como se eu fosse invisível.

Estou escrevendo isto tudo na casa de Hannah, que está lendo na cama. Ela queria que Loops tivesse vindo também, mas ela teve que ir nos avós. Pelo menos, imagino que isso a deixe longe de problemas. De algum modo, prefiro imaginar Loops jogando dominó com o avô a ela piscando para Thomas.

Como prometera, Hannah preparou nachos para mim, e deixei que ela falasse mais um pouco sobre Neil e sobre Thomas. Mas a noite foi boa. Conversamos também sobre outras coisas e assistimos a um filme.

Antes de chegar aqui, cometi o erro de contar para minha mãe que todo mundo estava saindo com todo mundo e que eu não estava gostando disso. Ela imediatamente entrou no Modo Já Vivi Isso e Já Fiz Isso (é claro) e me contou uma longa história sobre ela e algumas amigas, e como exatamente a mesma coisa acontecera com ela.

MODO JÁ VIVI ISSO E JÁ FIZ ISSO

Esse deve ser um dos modos mais enlouquecedores no qual um Adulto pode entrar. Não importa o que você tenha feito, eles já fizeram também e insistem em contar absolutamente tudo sobre o assunto.

Você não vai ganhar essa.

Não acredito na minha mãe! Ela não é melhor do que as outras. É enlouquecedor. Recentemente, foi a única vez que consegui encontrá-la sozinha para conversar sobre coisas íntimas e ela faz isso! Não posso mais contar *nada* para ela.

Tive que fingir que ela estava me ajudando, enquanto pensava: *Não* QUERO *saber o que você fez num Passado*

Sombrio. Por que os Adultos não podem apenas dizer "Sinto muito, você deve estar bastante triste"? Por que sempre precisam relacionar seu sentimento à juventude distante deles que não se parece em nada com os dias de hoje?

Ela *simplesmente* não pode entender.

23:30

— Hannah — falei há alguns minutos —, as coisas não vão mudar, vão?

— Claro que não — disse ela. — Você sabe o que as revistas dizem: amigos em primeiro lugar. Não vou deixar que Neil Parkhouse nem ninguém fique entre nós, nunca.

Eu me senti melhor depois de ela dizer aquilo.

Sábado, 26 de setembro, 21:22

É sábado à noite, e posso confirmar que é oficial: sou a maior idiota da história.

Depois que dormi na casa de Hannah ontem, fomos para a casa de Loops ao acordar. Ela ainda estava de pijama quando atendeu a porta com uma expressão de triunfo no rosto. Assim que a vi, eu soube.

— Adivinhe quem recebeu uma mensagem de texto ontem à noite? — disse ela, presunçosa.

Hannah deu um pulo e depois abraçou Loops.

— Thomas escreveu para você? Deixa eu ver isso!

Loops nos mostrou. Dizia: "Vc eh minha namorada? Se for, vejo vc no parque amanhã." E no fim ele ainda colocou uma carinha feliz.

— Ai meu *Deus*! — gritou Hannah. — O que você vai *vestir*?

Elas começaram uma conversa idiota sobre o tipo de roupa que Loops deveria usar para ir ao parque.

— Tá tudo bem? — Percebi que Hannah estava falando comigo. A sua voz parecia bem distante.

— Quê? Sim, estou bem.

Loops olhou para mim de forma estranha.

— Você *está* bem, não é, Katie? — perguntou ela. — Quero dizer, você dispensou Thomas no fim das contas.

Ela tinha razão. Eu tinha dispensando ele.

— Sim, estou absolutamente bem com isso — falei. — Só estou com um pouco de dor de cabeça. Acho que preciso ir para casa descansar ou algo assim. Continuem sem mim, encontro vocês mais tarde.

— Tem certeza? — disse Hannah, preocupada.

— Sim, é sério. Vão sem mim.

Não sei nem como voltei pra casa. Estava em choque. Embora eu tivesse tido *semanas* para me acostumar à ideia de Loops colocando as garras em Thomas, a realidade me atingiu como uma bigorna.

Estive fingindo que não ligo, mas não posso mais negar a terrível verdade. Sou louca por ele. E agora, com a minha *total permissão*, ele vai sair com uma das minhas melhores amigas. Muito bem, Katie, você se superou!

E não é o tipo de sentimento que eu e Hannah nutrimos por Ben Clayden, uma simples quedinha. Isso é diferente. Eu gosto *mesmo* de Thomas, mas agora estraguei tudo.

Entrei no Quartinho e fiquei com a cara enfiada no travesseiro por séculos. Não havia motivo para conversar com a minha mãe, pois ela simplesmente entraria no Modo Já Vivi Isso e Já Fiz Isso de novo. Depois de um tempo, me arrastei para debaixo das cobertas. Quando mamãe me chamou para almoçar, eu disse que não estava com fome. Como eu poderia pensar em comida? Eu estava pensando em Thomas. Nos olhos castanhos dele e naquele sorriso torto e tímido. Lembrei dele e de Loops tendo aquela longa conversa no mercadinho.

Gostaria de dizer que fiquei sofrendo no quarto por horas a fio, mas na verdade eu tirei uns cochilos também.

No meio da tarde, ouvi a porta do Quartinho abrir, mas continuei debaixo das cobertas fingindo que não havia ninguém ali.

— Ei.

Era Mandy.

— Sai! — pedi, tentando não parecer sonolenta, minha voz abafada por causa do cobertor. Senti o colchão afundar um pouco quando ela se sentou ao meu lado Ela fez carinho no meu ombro, carinho de verdade! Se tratando de Mandy, essa é uma *grande* demonstração de afeto. Acredite.

— Vai melhorar — disse ela, no Modo Compreensivo. Imagino que ela estivesse pensando no Joshua Weston. Então ela se levantou e saiu do quarto.

Um tempinho depois, a mamãe apareceu. Ela sentou e começou a mexer no meu cabelo, como faz quando estou chateada.

— Isso é porque todo mundo está namorando? Ou tem mais alguma coisa? É por causa de um menino? — perguntou ela.

Assenti e sussurrei:

— Não conte para Hannah ou Loops nem para ninguém. Não quero que ninguém saiba.

— Não vou contar a ninguém — disse, então acrescentou: — Katie, talvez isso não ajude, mas... acredite em mim, as coisas que parecem importantes quando temos 13 anos sempre mudam. Um dia você vai olhar para trás e pensar por que se importou tanto. Talvez você até ria disso!

Antes mesmo de ela começar, eu *sabia* que ela tinha entrado no Modo Já Vivi Isso e Já Fiz Isso. Duas vezes no mesmo fim de semana! Os Adultos são *tão profundos* às vezes. Como *um dia*, mesmo em um zilhão de anos, eu poderei olhar para isso e rir?

FATO TRISTE, PORÉM VERDADEIRO

Os Adultos pensam que o que aconteceu quando eles eram jovens não é muito diferente do que acontece hoje em dia. Como se suas vidas miseráveis e patéticas de cem anos atrás pudessem ter alguma relação com as nossas!

Depois da minha mãe, o próximo a me visitar foi Rascal, que pulou, se escondeu debaixo das cobertas e lambeu meu rosto loucamente. Tentei afastá-lo, mas ele continuava tentando se aproximar com aquela língua enorme e molhada. Fiquei pensando se na verdade ele queria me beijar. Seria bem típico da minha sorte, se meu primeiro beijo de língua fosse com o meu cachorro.

Finalmente levantei e lavei meu rosto. Logo arrumei forças para comer porque (felizmente) Stuart comprou peixe e batatas fritas para todos, e não consegui resistir, o que mostra que ou eu não estou *tão* arrasada assim — ou talvez eu simplesmente seja uma porca compulsiva capaz de se entupir de comida independentemente de como esteja se sentindo.

A única coisa que fazia com que eu me sentisse um pouquinho melhor era Jack.

— Vou fazer um show — anunciou ele depois de comer — e eu mesmo serei o protagonista.

Então ele sumiu e, quando voltou, estava usando sua capa do Batman e calças vermelhas, somente isso. Ele fez uma reverência.

— Orgulho-me em apresentar o incrível Mágico! Com meus poderes especiais, *lerei agora suas mentes*!

— Tudo bem — disse mamãe. — No que eu estou pensando?

Jack abaixou a cabeça de um jeito dramático, então disse:

— Você está pensando que precisa dobrar a minha mesada depois deste espetáculo maravilhoso!

— Boa tentativa — disse minha mãe, rindo.

— No que estou pensando? — perguntou Stuart.

Jack simulou outra leitura de mentes, fechando os olhos para se concentrar.

— Você está planejando uma viagem. Vejo passagens aéreas. Vejo o Mickey Mouse. Uma viagem para... a Flórida! Você vai nos levar para a Disney World!

Stuart olhou para mamãe e sorriu.

— No que Katie está pensando, então? — perguntou minha mãe.

Jack fechou os olhos de novo.

— Katie está triste — disse Jack. — Mas ela vai se animar se a mamãe comprar um celular novo para ela!

Ele abriu os olhos e lançou uma piscadela extremamente exagerada na minha direção. Talvez ele tenha razão. Se eu não posso ter Thomas, um celular novo com certeza ajudaria bastante.

Terça-feira, 29 de setembro, 20:59

MODO SOCIÁVEL

Quando os Adultos estão no Modo Sociável, eles sorriem, mostram os dentes e se apresentam para outras pessoas, aparentando estar encantados e satisfeitos até nas mais chatas das situações. Essa função se chama "Fazer um Esforço".

Alguns modelos de Adultos são mais sociáveis do que outros. São chamados de "extrovertidos". Adoram viver cercados por pessoas, jogando conversa fora. Ficam felizes quando as pessoas aparecem para vê-los, a qualquer instante — desfrutam positivamente das visitas surpresa.

Outros modelos são "introvertidos", o que quer dizer que preferem ficar sentados sozinhos fazendo palavras cruzadas, quebra-cabeças, lendo livros ou vendo televisão — ou todas essas atividades ao mesmo tempo.

Estou presa em casa dando uma de babá. DE NOVO.

Minha mãe saiu para fazer um esforço esta noite. Foi até Oxford tomar um drinque com seu Brinquedinho e alguns amigos dele — a maioria é professor, como Stuart. Eu não consigo imaginar um programa pior, passar a noite com um monte de professores. Seria o meu pior pesadelo. Imagine um programa com seus professores de matemática, constantemente de mau humor, Sr. Catchpole e Srta. Meias de Pelo. Eu preferiria ir ao dentista para arrancar todos os dentes da boca.

Mas minha mãe e Stuart são um casal e assim têm uma "vida social compartilhada", então fazem absolutamente tudo juntos. Não parece tedioso?

Por um longo tempo, mamãe não estava no Modo Sociável, não mesmo. Depois que meu pai morreu, ela não fazia absolutamente nenhum esforço. Ela não conseguia suportar estar num ambiente cheio de gente, a não ser que fossem da família, e ainda assim ela não conseguia aguentá-los por muito tempo (o que é compreensível, vendo como é a nossa família).

Então eu deveria estar feliz por vê-la gostando de sair de casa e sendo sociável em vez de ficar em casa conosco assistindo televisão ou tendo as típicas noites de sexta com a Tia Julie. Eu decidi uma coisa. Vou tentar me sentir feliz por Hannah e Loops, assim como por todos os outros. *Isso* mostra o quanto eu sou madura.

Já pensei bastante na situação de Loops e Thomas, e concluí que se "sair", de acordo com Thomas, é como ele fez quando saiu comigo, então nada vai acontecer e posso lidar com isso.

Tá, eu gosto dele. Bastante. Mas não vou deixar que isso destrua a minha vida. O que dizem mesmo sobre os pássaros tristes? Eles podem voar por perto, mas não deixe que façam ninho no seu cabelo.

Como eu também estava me sentindo no Modo Sociável — e não tinha muito mais para fazer agora que todo mundo estava praticamente casado —, fui visitar a bisavó Peters quando voltei da escola. Ela estava vendo seu programa de TV favorito na parte da tarde.

— Essa é uma história triste — disse, indicando que eu deveria me sentar. — Ela está prestes a perder sua casa e está desesperada para conseguir algum dinheiro e pagar as dívidas. Mas a ganância será sua desgraça, como acontece com todos os demais.

Vimos quando a mulher recusou dezesseis mil libras.

— É a melhor oferta que ela vai receber, anote o que estou dizendo — reclamou minha bisavó. — Mas *nunca sabem quando parar*. Você é a primeira pessoa que vejo hoje. Estou sentada aqui sozinha o dia todo!

— Encontrei com a vovó no mercadinho — falei. — Ela disse que viu você na hora do almoço.

— Por cinco minutos! Nada disso, estou sozinha aqui. Todos estão sempre muito ocupados para terem tempo para mim...

Naquele instante, a campainha tocou. Era a tia Susan, ainda de uniforme de enfermeira.

— Oi, vovó — disse ela. — Oi, Katie. Então, o que estão fazendo?

— Ela só vai ganhar dez pence, eu tenho certeza! — disse a bisavó Peters, esperançosa, apontando para a televisão. — Ela vai se arrepender por ter recusado aquele dinheiro todo! Estava falando para Katie que fiquei sozinha o *dia todo*.

Balancei a cabeça na direção da tia Susan, que sorriu e arqueou as sobrancelhas. Um anúncio na televisão pedia às pessoas que doassem dinheiro para os cachorros abandonados.

— Fido queria apenas amor, mas em vez disso ele foi expulso — dizia a voz no anúncio. — Agora está abanando sua cauda novamente, graças ao Abrigo dos Cachorros.

— É terrível o que fazem com esses cães — reclamou minha bisavó. — Deviam atirar em todos eles.

— Nos cachorros? — perguntou tia Susan, confusa.

— Não! Nas pessoas que os maltratam. Enfileirá-los e atirar neles, *isso* é o que deviam fazer. Junto com as pessoas que usufruem de benefícios quando não há nada de errado com elas.

A campainha tocou de novo. Era Matthew, querendo dinheiro da minha tia para comprar balas na lojinha. Tia Susan não deu. Imediatamente depois chegou minha avó, pois seu turno no mercadinho havia terminado.

— Ela está se sentindo *negligenciada* — sussurrou tia Susan para vovó, enquanto minha bisavó reclamava com a televisão. A mulher do programa havia ganhado setenta e cinco mil libras. A plateia gritava animada, pulando e berrando. A mulher estava chorando; agora poderia pagar suas enormes dívidas e manter a casa. Dava para perceber que a bisavó Peters estava um pouco decepcionada.

— Pura sorte — disse ela. — Apenas *pura sorte*! Tem gente demais aqui, nem consigo ver televisão direito. Vão embora, todos vocês!

Quarta-feira, 30 de setembro, 20:00

Hoje quando cheguei em casa depois da aula, Stuart estava lá.

De novo. Ele é o nosso visitante surpresa regular ultimamente. Só que nunca é uma surpresa agradável, não para mim e para Mandy, pelo menos.

Ele estava em alguma viagem da escola para Londres e conseguiu se livrar mais cedo para visitar a mamãe. Mandy estava na cozinha, furiosa.

— Ele acha que essa é a casa dele quando está longe da própria casa — sibilou ela enquanto bebia de uma lata de Coca-Cola. — *Precisamos impedi-lo.*

Eu não tinha tanta certeza. Estava começando a pensar que talvez estivéssemos interferindo demais.

— Talvez não devêssemos dar tanto trabalho pro Stuart.

— É, e talvez ele não devesse ficar aparecendo na nossa casa sem avisar! — disse Mandy. — É tudo parte do plano a longo prazo dele de se mudar pra cá e tomar conta das nossas vidas.

— Acho que você tem razão — falei. — Já sei, vamos nos comportar mal à mesa. Sabe como? Vamos deixá-lo com nojo!

— Eu suponho que a comida seja o suficiente — sussurrou Mandy, observando a massa cozida demais misturada com feijão.

— Não é ótimo Stuart ficar para o chá? — disse mamãe, claramente no Modo Sociável e Feliz enquanto distribuía a massa em cinco pratos. — Que boa surpresa!

Stuart sorriu, esperançoso. Sério, ele não entende. Olha a sensibilidade!

— Humm, *macarrão*! — disse ele, entusiasmado. — Não consigo parar de comer!

Comecei a enfiar uma garfada enorme na boca. Tinha que arrumar uma maneira de não engasgar.

— Eu também! Adoro macarrão! — disse Mandy, enfiando uma garfada na boca também.

— Tudo bem na escola? — perguntou minha mãe.

— Mmmmfffgggghhhhhh — disse eu, e uma porção de macarrão grudado caiu da minha boca no prato.

— Ggggggghhhhhmmmmmffffff — completou Mandy, e continuou comendo, estalando os lábios e abrindo a boca bastante para que todos nós víssemos o macarrão semimastigado na sua boca.

Stuart pareceu um pouco revoltado. Já era ruim o bastante ter de comer aquilo sem ter de ver a gloriosa comida semidigerida na boca aberta de Mandy.

— Não falem de boca cheia, meninas — disse mamãe, nos lançando um olhar ameaçador. Ela estava começando a sair do Modo Sociável para entrar no Modo Irritado.

— Desculpe — disse Mandy, mas em seguida soltou um longo e altíssimo arroto. — Ooops, me desculpe por isso também!

Abismado, Jack olhou para Mandy com respeito.

Então fingi que minha cabeça estava coçando. Cocei meu couro cabeludo violentamente com ambas as mãos bem em cima do prato.

— A escola está infestada de piolhos, *de novo* — menti, continuando a encenar aquela coceira exagerada. Percebi que Stuart estava afastando a cadeira de leve.

— Katie! — gritou Mandy, olhando para o meu prato e fingindo estar assustada. — Tem piolho no seu macarrão! Consigo vê-los! São *enormes*! E alguns têm *asas*!

— Não se preocupe — falei. Então peguei outra enorme garfada. Parecia que Stuart realmente ia passar mal.

E foi quando, sem querer, Jack completou com a cereja do bolo.

— Mãe, sei que na mesa de jantar é proibido — começou —, mas soltei um pum *bem* fedido. Vai chegar aí em alguns instantes, então *talvez* você queira prender a respiração, porque fede mais que os de Rascal.

Depois que Stuart foi embora (logo depois do chá, completamente compreensível), mamãe entrou no Modo Zangado. Eu podia ver que ela estava se preparando para nos passar um sermão daqueles só pela maneira que estava subindo as escadas.

— POR QUE vocês estão fazendo isso? — gritou ela, surgindo à porta do Quartinho.

— Isso o quê? — disse Mandy, inocentemente.

— Você sabe do que estou falando — disse mamãe. — Vocês estragaram tudo de propósito, de novo! Por que estavam sendo desagradáveis e nojentas deliberadamente? Não podem fazer um esforço pelo Stuart? Ele está tentando tanto.

— Desculpe — falei rapidamente, embora eu não me sentisse assim. Nem um pouquinho. — Estávamos sendo apenas idiotas. Foi errado da nossa parte.

Ela pareceu surpresa.

— Bom, pelo menos você se desculpou — disse ela, incerta quanto ao que dizer em seguida. Então nos deu as costas e foi para o andar de baixo.

DICA PARA MAU FUNCIONAMENTO

"Meu adulto está prestes a reclamar comigo".

Se desculpar imediatamente depois de ter feito algo errado é uma estratégia simples, mas notavelmente eficaz com os Adultos. Admita tudo antes de ouvir o discurso deles e vai conseguir controlá-los. Por exemplo, se eles estiverem se preparando para uma reclamação furiosa de cinco minutos sobre o quanto você é preguiçoso e egoísta, vai ser muito mais difícil para eles se você disser antes: "Desculpe, sou preguiçoso e egoísta, não há motivo para negar".

Sábado, 3 de outubro, 12:00

MODO INTERVENÇÃO

Alguns modelos de Adulto simplesmente não conseguem evitar. Eles nasceram para entrar no Modo Intervenção caso apareça uma oportunidade. Eles acreditam ser normal se meter na vida dos outros. Na verdade, essa crença está gravada no disco rígido deles.

Ontem à noite, quando eu estava me arrumando para ir à casa de Hannah, mamãe me perguntou até que horas ficávamos acordadas e o que comíamos. Ela queria saber quanto chocolate a tia Susan deixava a gente comer e se víamos DVDs no quarto de Hannah.

Minha mãe *nunca* me perguntou essas coisas antes! Talvez seja porque a tia Susan sugeriu que mamãe não estava se importando muito conosco desde a chegada de Stuart. Ou talvez seja apenas resultado da influência maligna de Stuart. Está bem claro que ele tem dito coisas a ela. Ela tem falado para não usarmos tanto o computador, e que não devemos fazer o dever de casa rápido para ver televisão, e sim passar uma hora se dedicando às tarefas. O que é *tão cruel*!

Para completar, ela acredita que deveríamos comer juntos mais vezes à mesa como uma família em vez de levar a comida para o colo e ficar na frente da televisão.

Aparentemente, assim é melhor para nossa digestão. Embora, na minha opinião, comer algo diferente do que as coisas que minha mãe cozinha seja o melhor para a nossa digestão.

É Stuart.

Ele está atrapalhando nossas vidas, exatamente como sabíamos que faria.

Sinceramente, mamãe está ficando pior que a Vovó — e é a Vovó quem interfere mais nas vidas de todos os nossos parentes. Ela sempre acha que sabe a melhor maneira de resolver as coisas e nunca vai se cansar de dizer à pobre da minha mãe — e a todos que por um azar estiverem por perto — suas opiniões. Que normalmente começam mais ou menos assim: "Não dê um passo maior que as suas pernas" ou "Não ponha a carroça na frente dos bois". Nada nunca faz sentido, é claro. Às vezes ela inclusive mistura os ditados e diz coisas como "Um ponto na mão é melhor que um pássaro", e as pessoas concordam com ela!

Ela não deseja o mal de ninguém, mas às vezes vai longe demais — tipo quando ela levou Mandy, Jack e eu para cortar o cabelo logo depois que meu pai morreu *sem consultar a mamãe*.

Nós precisávamos do corte, e é claro que minha mãe andava distraída demais para perceber, mas o que a irritou foi que vovó pediu ao cabeleireiro que cortasse nossos cabelos da mesma forma, como um capacete. Ficamos totalmente ridículos.

No fim, além de termos que lidar com nosso pai ter morrido, também tivemos que lidar com a aparência patética do corte de cabelo capacete.

Vovó Sutton costumava interferir horrores quando minha mãe e meu pai eram recém-casados, porque eles eram muito novinhos. Ela comprava coisas para eles sem perguntar se era aquilo que eles realmente queriam. Uma vez ela inclusive encomendou um carpete sem perguntar a cor que eles preferiam (!). Ela escolheu um tom de mostarda horrível e meus pais tiveram que conviver com aquilo por anos. Eles achavam que não podiam reclamar, pois ela havia pagado.

Eu me lembro do dia que eles conseguiram economizar o suficiente para tirar o carpete e pôr sinteco no chão. Minha mãe ficou no Modo Feliz como nunca vi antes.

Falando da vovó Sutton, não a vemos há semanas. Sei que ela sempre foi meio má, mas ainda é a minha *avó*. É chato ela ter se fechado para nós desse jeito. Esse é o lado ruim do Modo Intervenção. Achar que você sabe tudo e punir as pessoas quando elas não fazem as coisas do se jeito. É o Modo Controlador, na verdade.

Nada disso teria acontecido se Stuart não tivesse aparecido.

13:16

Agora as noites que durmo na casa de Hannah viraram um bláblá eterno sobre Neil Parkhouse e Thomas Finch — ela está tão obcecada com meninos quanto Mandy e as Clones! E não para de falar, entrando praticamente no Modo Intervenção, sobre como eu deveria sair com Jonathan Elliott. Ela diz que se eu sair com ele, então poderemos sair todos juntos num grupão.

Eu disse que ia pensar no assunto. Estou cansada de ficar sozinha nos sábados à noite enquanto Hannah e Loops saem com seus "pares" — e isso equivale a ficar passeando pelo parque. Basicamente é o que nós sempre fizemos, mas dessa vez há meninos envolvidos.

Vou sair para encontrar Hannah e Loops em dez minutos. Minha nova mãe intervencionista está me pressionando para saber aonde vou e que horas vou voltar. Pude ver seu olhar reprovador na direção da minha minissaia. Ela abriu a boca para dizer alguma coisa, mas ficou claro que pensou melhor e desistiu. Ela sabe que sempre me arrumo para ir a Oxford.

Vamos comprar algumas coisas para as nossas fantasias de Halloween. Normalmente ficamos pedindo doce na rua, mas esse ano já temos idade para ir à festa anual do tio Pete. Nos últimos anos, eu e Mandy tivemos que nos contentar em ajudar minha mãe a se arrumar para ir, mas finalmente o tio Pete se rendeu e disse que adolescentes são bem-vindos na festa. E deu nisso! Sei que ainda faltam algumas semanas, mas estamos ridiculamente animadas. Bem, *estamos* em Brindleton, se lembra?

Vamos usar fantasiar de gatos. É fácil: meia-calça preta, maiô, orelhas de gato e bigodes pintados.

Stuart chegou há dez minutos e saiu para pescar com Jack. Meu irmão passou a amar fazer isso e agora tem sua própria vara e rede. Ele fica bem legal vestido a caráter — um pescador mirim de verdade. Até quando está chovendo eles vão pescar. Minha mãe normalmente se junta a eles para um piquenique na hora do almoço, apesar de eu ter notado que Stuart tem levado os próprios sanduíches. "Para que você não tenha tanto trabalho", diz ele para minha mãe no Modo Mentira. Para não ter que comer atum com queijo e molho chinês. Tipo isso.

17:00

A ida para Oxford não saiu exatamente como planejada. Bem, não como eu tinha planejado, pelo menos. E eu não esperava que uma das coisas mais constrangedoras da minha vida fosse acontecer esta tarde.

Quando encontrei Hannah e Loops no ponto de ônibus, Neil Parkhouse, Thomas Finch e Jonathan Elliott também estavam esperando.

— O que *vocês* estão fazendo aqui? — perguntei, de um jeito rude.

— Soubemos que vocês vão comprar suas fantasias de gato — disse Neil — e somos as maiores autoridades mundiais quando o assunto é orelha ou bigode, não é mesmo?

— Isso mesmo — disse Thomas, rindo —, e rabos também.

— Por acaso eu conheço a melhor loja em Oxford para comprar esse tipo de coisa — disse Jonathan. — É perto do mercado coberto.

Hannah e Loops pareciam deliciadas com a ideia de eles irem também, então decidi me lembrar do minha nova e amadurecida postura diante da vida para não estragar nada reclamando — embora eu estivesse tentada.

No fim das contas, eles também tinham sido convidados para a festa do tio Pete, o que não era uma surpresa. Afinal, metade de Brindleton estaria lá.

— Você sabia — começou Jonathan, que, é claro, tinha se aboletado num lugar ao meu lado no ônibus, pois os outros estavam em pares — que o Halloween começou como uma festa celta para celebrar a colheita? Eles acreditavam que os mortos vinham visitar os vivos naquela noite.

— Que medo — disse Loops, num tom de voz impressionado. Eu preferia que ela não o encorajasse.

O passeio acabou sendo divertido. Vimos alguns artistas de rua ótimos, comemos no McDonald's (originalmente a Coca-Cola era verde; adivinhe quem nos alertou sobre isso...) e depois fomos à loja de festas para comprar algumas coisas de gato. Neil Parkhouse insistiu em modelar um par de orelhas de gato no caminho até o ponto de ônibus enquanto Hannah ria como se aquilo fosse a coisa mais engraçada que ela tinha visto em sua trágica vida.

— Você sabia que se um gato cai do sétimo andar de um prédio ele tem 30% menos chance de sobreviver do que se cair do vigésimo andar? — disse Jonathan.

— Para! Eu NÃO acredito nisso — falei.

— Vamos testar — disse Thomas Finch, piscando na minha direção. — Vamos colocar as orelhas no Jonathan e jogá-lo do alto de algum lugar!

Preciso admitir que, desde que começou a sair com Loops, Thomas parece mais confiante. Ele não costumava falar tanto. E, na verdade, ele é bem engraçado.

— Ótima ideia — falei. Estou aliviada por ver que ele não me odeia mais. Parece que esqueceu completamente do episódio Mills & Boon. Para ser honesta, meu coração bateu mais forte quando ele piscou pra mim daquele jeito.

Foi no caminho de volta que a coisa extremamente embaraçosa aconteceu. Por que é sempre comigo?

Quando subimos no ônibus, só havia lugar de pé. Nós nos apertamos no corredor do meio.

Eu estava segurando na barra vertical, me balançando como os demais. Então, depois de alguns minutos, ouvi o primeiro risinho abafado. Então outro. Olhei ao redor, mas não conseguia entender por que todos estavam rindo. Esperava que não fosse por causa das minhas pernas, que já estavam me preocupando por parecerem magras demais naquela saia curta. Hannah e Neil estavam muito atrás, então eu não conseguia vê-los, mas, pelas expressões de Loops, Thomas e Jonathan, eu sabia que havia algo engraçado acontecendo.

— O quê? — sussurrei para Loops.

Ela simplesmente balançou a cabeça, aflita, e olhou para baixo. Thomas e Jonathan estavam rindo baixinho. Olhei à minha volta e notei que outras pessoas também pareciam estar achando algo engraçado, e estavam olhando para *mim*.

Ao meu lado, estava sentado um senhor. Quando o meu olhar encontrou o dele, ele olhou direto para os próprios pés, onde havia uma bolsa. Olhei na direção da bolsa e vi que nela havia uma vassoura, que ele obviamente havia comprado nas lojas. A vassoura tinha um cabo bem comprido. Foi aí que a terrível verdade surgiu: em vez de segurar na barra do ônibus, eu estava segurando *no cabo da vassoura.*

Eu cheguei para trás, soltando o cabo como se ele estivesse pegando fogo, e foi quando o ônibus caiu na gargalhada. Todas as pessoas educadas que estavam apenas sorrindo ou rindo baixinho agora estavam às gargalhadas. Eles ganharam o dia comigo!

— Você não desconfiou por que estava *balançando*? — disse Loops quando descemos do ônibus; meu rosto estava queimando de vergonha. — E você não notou que era *vermelho vivo*?

— Bom, posso entender a confusão — disse Jonathan, e eu achei sua atitude muito fofa. Talvez ele não seja apenas um nerd-sabe-tudo no fim das contas.

— Não esquenta, Katie — disse Neil com um sorriso largo no rosto. — Nós sabemos que você leva a cabo as coisas!

Agora estou escondida no quarto e talvez nunca mais saia. A não ser, é claro, que eu pegue o próximo voo para o Himalaia. Meu burrinho está esperando.

Sábado, 3 de outubro, 18:00

Consegui ficar uma hora no quarto remoendo o pesadelo que vivi no ônibus, mas depois fiquei entediada e desci. Tia Julie estava ao telefone com Mandy. Ela tinha um encontro esta noite, mas cancelou depois que o sujeito lhe mandou um email perguntando qual era cor da calcinha dela, ou algo assim. Tadinha da minha tia, mais um *pervertido*. Como mamãe está no Modo Sociável e foi passar a noite em Oxford mais uma vez, tia Julie quis nos visitar.

— Ficaremos só nós três, as meninas... e Jack e Rascal — disse ela. — Vamos dar uma festa do pijama!

Quão deprimente é essa situação? Querer dar uma festa do pijama sendo tão velha quanto ela é. E se chamando de *menina*! Eu, Hannah e Loops damos festas do pijama, assim como Mandy com Lucy Parrish e as Clones, mas uma festa com tia Julie parece algo errado e esquisito.

Ainda assim, ela está muito determinada, então Mandy cancelou sua ida à casa de Lucy Parrish e foi ao mercadinho comprar pizza. Acho que Mandy acredita que essa é uma chance de pedir à tia Julie ajuda para nos livrarmos de Stuart. Não tenho tanta certeza. Quero dizer, se a tia Julie fosse tão esperta em assuntos relacionados a homens, ela não passaria as noites sentada em uma sala cheia de embalagens de delivery de comida, sozinha, bebendo vinho tinto e cantando junto com o Take That. Estaria?

21:22

É oficial. Tia Julie é Diabólica *e* Ardilosa! Nós nem precisamos pedir ajuda em relação a mamãe e Stuart — *ela* tocou no assunto. E se sente exatamente da mesma forma que nós em relação à situação toda!

MODO DIABÓLICO ARDILOSO

Precisamos admitir: às vezes os Adultos nos surpreendem sendo Diabólicos e Ardilosos. E isso quer dizer ponto para eles.

Por exemplo, eles podem dizer que acham que você não tem idade suficiente para saber como uma máquina de lavar funciona. Daí você insiste que sabe e, antes que perceba, é o responsável por lavar as próprias roupas! Esse é um exemplo do Modo Diabólico Ardiloso em pleno funcionamento.

Tia Julie chegou à nossa casa um pouco depois de ter desligado o telefone... de pijamas e robe. Esse é o tipo de comportamento errático que podemos esperar dela. E se o carro dela quebrasse no caminho?

Sei que são apenas alguns quarteirões, mas... ficou claro que Stuart estava me influenciando: fiquei pensando em como era ecologicamente irresponsável ela dirigir por menos de cinco minutos para chegar na nossa casa.

O pijama dela era rosa-shocking, de algodão e estampado de porquinhos, o que seria fofo se usado por uma menina de 8 anos, mas não era *tão* fofo na tia Julie. Fazia com que o bumbum dela parecesse ainda maior.

— Não é divertido? — disse ela quando estávamos todos sentados, de pijamas, comendo pizza de pepperoni. O pijama de Jack tinha alienígenas, e nele ficava bem fofo.

Na verdade, *era* divertido. Vimos um filme recomendado para a idade de Jack, então o colocamos na cama — não sem que ele protestasse aos berros, é claro. Depois que ele escovou os dentes, fui até o quarto dele para dar boa noite.

— Você acha que Stuart vai nos levar para a Disney *algum dia*? — perguntou ele.

— Parece que não — falei.

— Então talvez devêssemos fazer com que mamãe se casasse com um milionário em vez dele — disse. — E poderíamos morar em uma mansão feita de ouro.

— Essa é uma boa ideia — falei, imaginando nós três observando enquanto mamãe se agarrava com um milionário em um sofá de ouro puro.

Fui para o andar debaixo, e tia Julie havia aberto uma garrafa de vinho. Ela deixou que eu e Mandy tomássemos um golinho.

— Na França, as crianças bebem vinho desde *bebês*, praticamente — disse.

Depois que ela tomou umas duas taças, do nada soltou:

— É claro que eles não foram feitos um para o outro.

Mandy quase pulou do sofá de empolgação.

— Você tem TODA RAZÃO! — disse ela. — Ela não está *apaixonada* por ele. Só está com ele porque se sente sozinha e ele apareceu na porta da nossa casa e não é completamente horrível nem parece um serial killer.

Tia Julie assentiu.

— Ela estava muito desesperada — concordou. — Podia ter conseguido coisa bem melhor...

— Isso! — exclamei, praticamente tão empolgada quanto Mandy ao descobrir que tia Julie concordava conosco. — Se ela *quiser* namorar, talvez em daqui a cinco ou dez anos, deveria sair com alguém que tivesse uma profissão boa. Tipo um médico ou alguém bem rico como um jogador de futebol ou um empresário milionário, e não com um professor de educação física que fica com o rosto inchado só por chegar perto de grama.

Tia Julie engoliu mais um pouco de vinho. Depois deu outro suspiro.

— Sim, é um desperdício — disse ela. — Mas... talvez eles estejam felizes juntos, não?

— Ele é *cinco anos mais novo do que ela* — gritou Mandy. — *E* é obcecado com reciclagem *e* tem um narigão. Como ela poderia estar feliz com alguém assim?

Tia Julie parecia pensativa.

Então contei a ela que Stuart nunca visitava seus pobres e velhos pais, e o quão terrivelmente egoísta ele devia ser.

— Que horrível — disse tia Julie. — Eles devem ficar tão tristes por isso!

Em seguida, todas nós concordamos que mamãe era milhões de vezes melhor do que Stuart. E nos convencemos de que era nosso dever, amando-a como amávamos, garantir que ela não perdesse tempo com alguém que não estava à sua altura. Daí lembramos que Stuart tinha algum segredo sombrio no passado e pensamos em novas e terríveis possibilidades.

Quase chorando, contei a tia Julie que eu sentia falta de ter mamãe por perto.

— Também sinto falta dela! — disse minha tia. — Não nos vemos mais! Ela está sempre com ele!

Em seguida ela pareceu entrar numa espécie de transe, de tão pensativa. Ou talvez fosse apenas efeito do vinho.

— Certo — disse finalmente tia Julie, com a boca cheia de pizza fria. — Se vamos nos livrar dele, como faremos isso? Em que vocês pensaram até agora?

— Não reciclar... — disse Mandy. — E usamos camisetas com logomarcas... Também tivemos uma briga horrível na frente dele... e Katie aparou a grama para que ele ficasse alér...

— *Reciclagem*? Camisetas com *logomarcas*? Vocês realmente acham que isso é o bastante para fazer com que Stuart desista da sua mãe? Isso é *patético*! Se a comida dela ainda não o afastou, então vai ser preciso muito mais do que não reciclar e exibir algumas logomarcas para que ele dê o fora.

— Eu sei, só fizemos porcaria — admiti. — Por isso precisamos da sua ajuda. Você sabe como a mente de um homem funciona, já saiu com muitos por meio desses sites de relacionamento.

Tia Julie pareceu lisonjeada, como se fosse uma "mulher vivida".

— Bem — disse ela —, em um caso desses, é preciso ser extremamente ardilosa. Você precisa pensar no que irrita Stuart: do que ele não gosta? Ele ficaria incomodado se soubesse que sua mãe casou-se com o amor de sua vida e que ele é um simples substituto? Esse tipo de coisa.

— Uma vez ele disse que roqueiros punks eram terríveis — lembrei.

— Exatamente! — disse tia Julie. — Esse é o tipo de coisa que podemos usar.

Tia Julie é genial! Tenho tentado usar minha experiência para afastar minha mãe de Stuart, quando, na verdade, deveria fazer com que *ela* parecesse menos atraente aos olhos *dele*! É tão óbvio!

Pelo restante da noite, bolamos um Plano Diabólico e Ardiloso. Um plano tão diabólico e tão ardiloso que com certeza vai funcionar. Um plano que vai mandar Stuart correndo para as montanhas o mais rápido que seus tênis ecologicamente corretos conseguirem. Rá rá! Chega de professores de educação física no nosso sofá!

— Você é incrível, tia Julie — falei, enquanto subíamos as escadas a caminho do quarto.

— Eu sei — disse ela —, mas vocês é que precisam fazer com que funcione. E ninguém pode saber. Nem mesmo Hannah, Katie. Estarei perdida se alguém ficar sabendo.

Sábado, 17 de outubro, 18:30

Nada empolgante aconteceu na escola nas últimas duas semanas. Acho que estou é de saco cheio, ou algo assim, porque nem mesmo tive vontade de escrever neste guia. A Srta. Hooper está inscrevendo a escultura que Ben Clayden fez em uma competição de arte qualquer, pois ela acha que ele é um gênio. E ele é, claro. E os pelos da perna da Srta. Meias de Pelo estão seriamente descontrolados — juro, já têm *mais de um centímetro de comprimento*. Talvez ela não tenha aquecimento central em casa e use os pelos como um tipo de isolamento para as pernas.

Hannah e Loops ficam dando risadinhas com Neil e Thomas no pátio enquanto Jonathan me persegue e diz que o olho de um avestruz é maior que o seu cérebro ou que porcos-espinhos flutuam na água. Na verdade, tem sido muito útil ter Jonathan por perto como uma sombra — significa que não sou uma pária completa. Mas às vezes, quando ele está explicando que uma lesma pode dormir por três anos, por exemplo, quase preferiria se estivesse sozinha.

Está realmente esfriando, então minha mãe me faz usar meu casaco preto com brilho e horroroso, que se parece com um saco de dormir gigante. Não ligo muito porque tanto Hannah quanto Loops têm casacos igualmente horríveis.

Ontem à noite, quando fui dormir na casa de Hannah, ela conseguiu ficar 30 minutos e 38 segundos sem falar de Neil Parkhouse. Eu cronometrei. Isso não quer dizer que eu esteja ficando rancorosa nem nada. Enfim, ela me convenceu a sair com ela, Loops, Neil, Thomas e Jonathan, me subornando com chocolate.

Então de tarde todos nós fomos — só para variar um pouquinho — para o parque. Neil, Thomas e Jonathan jogaram futebol por um tempo enquanto Hannah e Loops mexiam nos cabelos. Quero dizer, Hannah mexia e Loops meio que enrolava o dela, na verdade.

Daí Hannah e Loops riram muito, assim como mexeram e enrolaram os cabelos um pouco mais, enquanto falavam com Neil e Thomas, e eu fiquei sozinha com Jonathan... de novo.

— Você sabia que a cada vez que lambe um selo, ingere 10% de uma caloria? — disse.

— Sério? — Deixei aquela informação registrada para não ajudar minha mãe com os cartões de Natal no fim do ano enquanto observava a expressão de Loops olhando para Thomas com os cílios pintados. Eu a vi praticar aquele olhar no espelho.

Sinto uma dorzinha de remorso no estômago ao ver os dois juntos. Preciso superar isso.

— Adivinha o comprimento da língua de uma girafa — disse Jonathan.

— Sei lá.

— *Cinquenta e três centímetros*! Elas podem limpar os ouvidos com a língua.

Fiquei pensando se Jonathan podia limpar as orelhas *dele* com a língua, considerando que a usava tanto. Quase ri alto.

Então, naquele exato momento, ele me atacou! Acho que ia tentar me beijar, mas não chegou a tanto. Assim que vi o rosto dele se aproximar, me esquivei. Eu ainda pensava nele com uma língua de 53 centímetros.

— Preciso ir embora — gritei, e fui praticamente correndo para casa. Enquanto eu corria, pensei no atrevimento de Jonathan ao tentar ficar comigo de novo depois de me dizer que preferia Loops e Hannah a mim. Ele acha que eu não tenho orgulho algum?

Eu me senti a maior e mais idiota rejeitada que fica segurando vela da história das rejeitadas.

Como se já não fosse ruim o bastante, quando cheguei em casa minha mãe e Stuart estavam, é claro, abraçados no sofá.

— Está tudo bem? — perguntou mamãe, parecendo ridiculamente feliz.

— Sim — menti, e subi para escrever isto.

Se minha mãe não estivesse com Stuart, eu poderia ter contado a ela o que tinha acontecido. Ela teria preparado uma xícara de chá para mim, entrado no Modo Já Vivi Isso e Já Fiz Isso e eu nem teria achado ruim.

Os Adultos não deveriam colocar os filhos em primeiro lugar e perceber quando você não está feliz? Não é isso que eles devem fazer? Minha mãe costumava perceber, até Stuart chegar. A Função Intuitiva dela obviamente havia sido desligada, afinal, ela *não se importava mais*.

FUNÇÃO INTUITIVA

A Função Intuitiva pode ser uma coisa positiva em um Adulto, pois quer dizer que eles são sensíveis quando há algo errado e se importam a ponto de perceber isso. Entretanto, há um aspecto negativo: se o seu Adulto tem a Função Intuitiva bem desenvolvida, ele pode entrar no Modo Suspeito com facilidade — principalmente se você estiver aprontando alguma. Isso pode ser enlouquecedor. O único modo de interromper o processo é distraí-los no exato momento em que a Função Intuitiva entrar em ação, dizendo coisas como "Que barulho é esse?" ou "Você está sentindo cheiro de grapefruit?". Isto é chamado de Técnica de Distração.

Então agora estou aqui sentada na cama de baixo do beliche, no escuro, usando a idiota da lanterna de cabeça que o idiota do Stuart me deu para poder escrever isso. Rascal acabou de entrar no quarto e me encontrou. Ele sempre sabe quando estou de saco cheio. Neste instante ele está lambendo o meu rosto, então não posso mais escrever.

Sábado, 17 de outubro, 21:00

A CAPACIDADE DE MEMÓRIA DO SEU ADULTO

A capacidade de memória de um Adulto geralmente diminui à medida que ele envelhece. Por exemplo, um Adulto de meia-idade vai se esquecer de coisas, tipo onde pôs as chaves do carro, o que fez com o telefone celular e que prometeu que buscaria você depois das atividades extras da escola.

Entretanto, sempre se lembrarão por quantos dias você está de castigo e — quando vocês estiverem juntos em público e eles precisarem de assunto com estranhos — de cada detalhe constrangedor de quando você aprendeu a usar o penico.

Modelos mais velhos de Adultos vão se esquecer do seu nome e geralmente irão te chamar pelo nome de cada um dos parentes que você tem e pelo nome do cachorro até acertar o seu. Também irão regularmente colocar o leite na máquina de lavar, o jornal na geladeira e as meias sujas no cesto de revistas.

Eu estava no Quartinho, enroscada em Rascal e ouvindo música, quando Mandy entrou depois de uma briga com Lucy Parrish por causa de alguma coisa. Resmungamos um pouco sobre como nossas amigas são horríveis e sobre como nem ao menos podemos assistir televisão em nossa própria casa sem ter que ver mamãe e Stuart agarradinhos no sofá.

— Eu não sei como eles conseguem se beijar com aquele narigão dele — falei. — Devem ter que fazer algum tipo de manobra lateral.

— É um absurdo — disse Mandy, tirando o esmalte roxo da unha do pé. — Mamãe anda tão desligada, e tudo por causa do Brinquedinho. Ela se esqueceu de pagar metade das contas. Recebemos três notificações de atraso. E, pode admitir, ela não está nem atenta às coisas básicas, como dinheiro para escola ou nossa mesada. Pelo menos faltam só duas semanas até o Plano Ardiloso.

— Até lá os dois provavelmente estarão casados — disse eu —, e ela estará grávida de trigêmeos. Provavelmente irão morar em outra casa e se esquecer de nos avisar que foram embora.

Domingo, 18 de outubro, 11:15

Estava bem óbvio que minha mãe não tinha só se esquecido de pagar algumas contas... A Capacidade de Memória dela havia sido tão comprometida por estar no Modo Enfeitiçado que ela esquecera que nós existíamos! Está claro que ela não leva mais em consideração o que a gente sente.

É horrível ter que escrever isso. Faz com que eu me sinta tão mal. Bom, vamos lá.

Stuart não está mais no sofá. Hoje de manhã eu esbarrei nele saindo do quarto da mamãe usando uma cueca samba-canção, que eu notei que era estampada de coraçõezinhos. Ele nem ao menos teve a decência de parecer constrangido! Simplesmente me lançou um sorriso animado!

Fingi não ter ligado, mas tive que voltar para sentar na minha cama de tão rápido que meu coração batia. Eu só consegui escrever sobre o que aconteceu agora... estava tentando fingir que não tinha sido real. Mas preciso aceitar o terrível fato: eles estão dormindo na mesma cama. A cama que minha mãe dividia com o meu pai. Como ela *pôde*? Ela já se esqueceu completamente do papai?

Durante o café da manhã, eles discutiram sobre sair de férias de novo. Foi difícil engolir meu cereal tendo que ouvir sobre as diferentes cidades que eles poderiam visitar.

— Praga deve ser espetacular — disse Stuart, mastigando a torrada com geleia.

— Veneza é romântica — suspirou mamãe.

Dava para pensar que ela tinha estado lá pelo jeito como falava. Acho que ela viajou para França com a escola, e foi o mais longe em relação a viagens internacionais.

Stuart viajou de trem pela Europa e esteve na Índia, o que, admito, é bem impressionante. Imagino que seja o tipo de coisa que você pode fazer quando não tem filhos tão cedo quanto mamãe e papai tiveram.

— E Paris? — sugeriu Jack. — Primeiro podemos ver a Torre Eiffel, depois vamos até a Notre Dame e *depois* podemos ir até a Euro Disney! Vai ser bem legal!

É preciso admirar o otimismo dele. Não tenho coragem de explicar a ele que quem está indo de férias em uma viagem romântica *não quer* ter um menino de 8 anos no pé. Não importa o quão bom ele seja em arrotar a música de *Star Wars*.

Fiz um show ao não colocar um pacote de cereal na reciclagem. Então Mandy pigarreou alto e jogou os saquinhos usados de chá na lixeira normal em vez de na de lixo orgânico. Mamãe e Stuart nem notaram. Obviamente estavam no Modo Delirante, pensando nos croissants e roupões de banho do hotel. Somos Oficialmente Invisíveis!

15:27

Hannah e Loops apareceram aqui querendo saber por que eu tinha fugido na noite anterior. Contei sobre Jonathan me atacando. Hannah riu como uma louca, mas percebi que Loops ficou quieta.

— Você não gosta dele? — perguntou Loops.

— Não. E, mesmo se gostasse, ele já deixou claro que só está interessado em mim porque você e Hannah não estão disponíveis.

— Sério? — disse Loops, parecendo satisfeita.

— Bem, e *qual* é mesmo o tamanho da língua da girafa segundo ele? — perguntou Hannah, e logo em seguida caiu na gargalhada de novo. Não demorou para que ela e Loops estivessem se apoiando uma na outra para ficar de pé.

— Bem, estou feliz por estar divertindo vocês! — falei, um pouco chateada.

Hannah limpou as lágrimas dos olhos.

— Ah, desculpa. Mas é *tão engraçado*!

Decidi ignorar a criancice das duas.

Eu não tinha certeza se queria saber, mas não pude evitar a pergunta (talvez eu goste de sofrer):

— O que aconteceu depois que fui embora?

— Nada de mais — disse Loops.

— Qual é!

— Bem, Neil me beijou... mas não me agarrando — confessou Hannah de um jeito sonhador. — Ele é tão... — Ela estava sem palavras. Era amor.

— E você e Thomas? — perguntei para Loops, da maneira mais casual que pude.

— Só conversamos — disse ela.

Eu me senti aliviada. Mas a quem estou enganando??? Loops não é do tipo que aceita um não. Não vai demorar muito para que consiga colocá-lo onde ela quer (na cabana dos adolescentes).

Preciso parar de me sentir assim quando o assunto é Thomas Finch. Significa que guardo um segredo de Hannah e de Loops, e eu NUNCA escondi nada delas antes.

Sexta-feira, 23 de outubro, meia-noite

MODO TRISTE
Quando um Adulto entra no Modo Triste, normalmente é porque aconteceu alguma coisa. Pode ter sido uma coisa boba ou algo muito maior e mais importante. Talvez você nem consiga descobrir o que é. Existem muitas coisas inteligentes que você pode tentar, como alterar o Modo, usar a Técnica de Distração ou um abraço bem apertado... mas às vezes é preciso aceitar que não há muito a fazer além de estar presente e tentar não piorar as coisas.

Hoje é o aniversário de morte do meu pai. É um dia difícil, sempre. Felizmente, por respeito, mamãe não chamou Stuart para vir aqui. Ela estava muito quieta durante o café da manhã e quando voltamos da escola. Ela está no Modo Triste.

Eu sei tudo sobre o Modo Triste nos Adultos; poderia dar aula sobre isso. Afinal, vi tudo pelo que minha mãe passou ao longo do processo.

Foi como perder os dois — papai e a mãe feliz que tínhamos antes de ele morrer. E por isso era tão difícil e confuso. Queríamos nossa mãe feliz de volta, mas ela havia desaparecido. Ela tentou esconder que estava no Modo Triste, mas ele estava rondando mesmo quando nos divertíamos. Estava escondido na sua expressão.

A boa notícia é que as coisas normalmente melhoram, se os Adultos tiverem o apoio necessário. Pode demorar um pouco, mas elas melhoram.

A vida é assim. Ninguém pode ser feliz o tempo todo, e todos os Adultos ficam tristes em algum momento de suas vidas. Não leve para o lado pessoal. Eu costumava levar com minha mãe. Eu pensava que *se eu não fosse tão horrível e egoísta, ela não teria ficado daquele jeito* ou que *nós não valíamos a pena e, por isso, ela não conseguia melhorar.* Ela não conseguia evitar, precisava de tempo para superar, e isso acabou acontecendo.

Mas o aniversário de morte ainda a deixa abalada. De um jeito curioso, agradeço por isso. Mostra que Stuart não substituiu papai completamente. Mostra que, apesar dos problemas de Capacidade de Memória, ela não o esqueceu. Ela sempre estará no Modo Amor quando se tratar dele.

Estou usando minha lanterna de cabeça para escrever isso, de novo. Preciso admitir que ela se tornou útil para este guia, pelo menos. Estou na casa de Hannah e ela acabou de ir dormir. Jonathan Elliott não se aproximou de mim essa semana. Embora ele seja a pessoa mais insensível que conheço, até mesmo *ele* pescou a dica do último fim de semana.

Quase sinto falta da constante presença dele, me dizendo palavras do dicionário que não rimam com nenhuma outra ou que um grupo de pássaros é uma "revoada".

Ontem foi horrível. Eu vi Thomas e Loops *de mãos dadas* no pátio. Ver aquilo me deixou realmente mal. Ele soltou a mão de Loops quando cheguei, o que me fez pensar se aquilo não tinha mais a ver com ela do que com ele.

Para falar de uma coisa boa, o Sr. Catchpole foi dispensado por estresse e a Srta. Allen o substituiu; todos os meninos gostam dela porque ela tem 24 anos e usa suéteres bem justinhos. E mais coisas boas aconteceram.

Eis os pontos altos da semana:

1) Minha mãe está resfriada e por isso não tem cozinhado, então estamos comendo bem;

2) Mamãe nos deu todo o dinheiro atrasado da mesada que ela havia esquecido, e assim estamos ricas;

3) Quando fui à casa da Bisavó Peters, ela me deu cinco libras para limpar a cozinha dela. Estou ainda mais rica agora;

4) Eu, Hannah e Loops ficamos a *semana inteira* contando piadas sobre línguas de girafas e estou rindo sozinha até agora.

Sábado, 24 de outubro, 1:00

Por que não consigo dormir? Imagino que seja por ter muito em que pensar. À noite, Hannah estava incrivelmente sentimental em relação a Neil Parkhouse. Ele é *tão* engraçado. Ele é *tão* bonito. Ele joga futebol *tão* bem. O de sempre. Decidi perguntar a ela o que realmente importava:

— Você está apaixonada, então?

Hannah não me deu uma resposta precisa, portanto supus que sim. Em seguida ela jogou a bomba.

— Minha mãe me deu permissão, então eu e Neil vamos até Oxford na próxima sexta à noite para ir ao cinema, contanto que a mãe dele nos traga de volta...

O som das palavras foi diminuindo quando ela notou a minha expressão. As noites de sexta-feira sempre foram reservadas para dormirmos na casa uma da outra desde, tipo, sempre. Mal consigo me lembrar de *uma* sexta-feira que eu não tenha passado na casa de Hannah.

— Olha... Desculpe — disse ela. — Não podia ser sábado por causa da festa do tio Pete e da tia Paula, então não quis falar que não podia na sexta também para que Neil não achasse que eu estava tentando me afastar. Olha, vou mandar uma mensagem agora mesmo e cancelar.

— Tudo bem — falei. — Quero dizer, isso ia acabar acontecendo mesmo. Não ia? Podia ter sido comigo. Saia com ele. Vou ficar bem.

Hannah me deu um abraço apertado.

— Você é a minha melhor amiga e prima dupla do mundo! — disse.

Sorri. Mas por dentro eu estava triste. Era como se algo estivesse terminando, e conheço esse sentimento muito bem.

1:20

É hora de contar sobre o último dia do meu pai. Se a tristeza tem a ver com finais, esse foi o fim dele.

Eu e Mandy nos revezávamos para sentar ao lado da cama do meu pai com a mamãe enquanto a outra dava uma volta com Sheila, do serviço de psicologia infantil.

Sheila começou a nos visitar nas últimas semanas de vida do papai e era muito objetiva e compreensiva. Ela nos explicava coisas que não entendíamos, e podíamos conversar sobre qualquer coisa, inclusive coisas com as quais estávamos preocupadas ou nos sentíamos inseguros. Ela usava um moletom azul que era exatamente da mesma cor de seus olhos. É engraçado pensar nos detalhes das pessoas que lembramos.

Pessoas como Sheila deveriam ganhar medalhas gigantes, imensas. Você mal sabe que elas estão por aí, silenciosamente, fazendo trabalhos assim até algo acontecer com você e então... bem, você simplesmente agradece por elas estarem por aí.

Tio Dave chegou na hora do almoço e passou algum tempo com meu pai. Quando ele foi embora, mal conseguiu falar conosco, apenas nos abraçou e saiu. Vovó e vovô Sutton tinham vindo no dia anterior e ficaram a maior parte da noite; eles voltariam mais tarde para passar a noite de novo e dar uma folga pra minha mãe.

Entrei no quarto e vi papai naquela mesma tarde, um pouco depois. Minha mãe estava segurando a mão dele e ele estava oscilando entre dormir e acordar.

Em um dos momentos no qual ele estava acordado, olhou diretamente para mim. Parecia que ele estava tentando memorizar o meu rosto, só ficou olhando e olhando. Então sussurrou alguma coisa, mas não consegui ouvir, então me aproximei.

— Você é incrível?

Havia um bolo na minha garganta tão grande que mal consegui responder.

— Sim.

— Você é corajosa?

— Sim.

— Você é um porco-espinho?

Balancei a cabeça e mordi o lábio para não chorar na frente dele.

Ele apenas sorriu, um sorriso adorável, e fechou os olhos de novo.

Então essas foram as últimas palavras do meu pai para mim: "Você é um porco-espinho?" Tente explicar algo *assim* para alguém.

Tia Julie levou Mandy e eu para casa, quero dizer, para a casa do tio Dave e da tia Susan, onde Jack estava.

No caminho, fiquei olhando pela janela na direção do pôr do sol, pensando que você nunca sabe ao certo quando ele termina. Sabe simplesmente que num instante está ali e no outro não. Como meu pai. O pôr do sol é tão *tranquilo*.

Durante um período longo, Sheila continuou nos visitando depois da morte de meu pai. Um dia contei a ela sobre o que pensei naquela noite, a caminho de casa, observando o pôr do sol. E ela disse *a melhor coisa de todas*:

— Sabe em que eu penso quando vejo o pôr do sol? Penso que quando o sol se foi e não podemos mais vê-lo, é porque ele está chegando em algum outro lugar.

Talvez seja assim que devamos encarar qualquer término, como, por exemplo, o fim das noites de sexta na casa de Hannah. O fim normalmente também é um começo. Apenas não sabemos ao certo que começo é esse.

2:00

Li de novo tudo que escrevi esta noite. Escrevi sobre como minha mãe estava no Modo Triste por tanto tempo e sobre como eu queria minha mãe feliz de volta.

Acho que não sei bem quando isso aconteceu, provavelmente foi aos poucos, mas a verdade é que ela voltou. A nossa mãe feliz, a mãe da qual sentíamos falta. Com exceção de hoje, o que é compreensível, mamãe não está mais no Modo Triste. E eu não queria admitir isso, mas a verdade é que acho que *Stuart é bastante responsável por isso.*

Então o que vai acontecer depois que executarmos o Plano Ardiloso? Qual será o resultado?

Sexta-feira, 30 de outubro, 16:27

MODO SÁBIO

Muito de vez em quando, os Adultos entram no Modo Sábio. Neste modo, eles falam coisas bem pertinentes e cheias de sentido e insight. Isso não é muito comum. Não espere que aconteça com frequência.

Já disse que quando meu pai morreu, o Modo Amor foi o último que ele desativou, porque era o mais importante de todos.

Mas, antes disso, meu pai estava no Modo Sábio. Acho que ele queria ter certeza de que tinha me dito tudo que achava que eu precisava saber. Quando estava doente, ele me disse uma coisa que nunca me esqueci:

— Passei a vida dando importância para coisas que não eram importantes. Como o tamanho da casa, o tipo de carro ou o lugar que conseguimos pagar para levar a família nas férias.

"Achei que estava certo ao querer o melhor para vocês. Mas quer saber? Nada disso importa. A única coisa que importa é o amor entre as pessoas. Ame sua família, seus amigos e trate todos bem. Nada mais é importante."

Lembro muito do que ele disse quando penso que gostaria que vivêssemos em uma casa maior ou que pudéssemos viajar para o exterior como as outras pessoas.

Eu adoraria morar em um lugar mais legal que Brindleton, tipo Londres. Mas se meu pai estava certo e nada é mais importante que a nossa relação com os outros e nossa família, então seria bem idiota ir morar em um lugar onde não conheço ninguém. A não ser que eu fizesse muitos novos amigos — mais bonitos e mais interessantes que meus parentes (algo que não seria difícil). Mas algo me faz pensar que não era *bem* isso que meu pai tinha em mente.

Família é algo TÃO importante em Brindleton. Talvez porque não possamos nos evitar, mas se você precisar de ajuda, sabe exatamente aonde ir. Acho que é por isso que Vovó, Tia Julie, Tia Susan e todos os outros desconfiam tanto de Stuart. É muito intrigante para nós ver que ele não visita a própria família. Faz com que pensemos que há algo de errado em relação a ele.

Preciso parar de pensar nisso tudo. Estou me sentindo nervosa e ansiosa desde que voltei da escola e nem sei bem por quê. Eu não sou assim normalmente. Vou procurar Jack e Rascal. Um dos dois vai querer sair para dar uma volta.

19:05

Fui ao parque com Jack e Rascal. Que erro. Vi Loops lá, com Thomas Finch, na cabana dos adolescentes. Não se agarrando, conversando apenas. Eles acenaram e acenei de volta antes de arrastar o pobre e confuso Jack, além de Rascal, para casa. Horrível. Para aplacar minha dor de cotovelo, comprei um saco bem grande de batata frita pra mim e pra Jack.

Eu *sabia* que ela o levaria para aquela cabana. Era só uma questão de tempo.

22:15

Está ficando tarde, e percebi que estou me sentindo estranha por dois motivos. O primeiro: pela primeira vez em muitos e muitos anos, não estou na casa de Hannah. Estou sentada no quarta da mamãe, escrevendo isso e ouvindo as Clones falando aos gritos no nosso quarto sobre os meninos de que elas gostam.

Hannah e Neil Parkhouse estão — tipo agora — voltando de Oxford do seu primeiro "encontro de verdade". Espero que tenha dado tudo certo, é a cara de Hannah começar um namoro firme e casar com o primeiro namorado.

Isso quer dizer que Loops e Thomas estiveram sozinhos durante a tarde inteira. E se eles já estavam na cabana dos adolescentes há muito tempo, como saber o que fizeram por lá?

O segundo motivo pelo qual me sinto estranha é porque amanhã é o grande dia — o dia do Plano Ardiloso. Pensamos em tudo há algumas semanas apenas, mas parece que estamos esperando há um século.

Depois que Jack se deitou, minha mãe e eu assistimos a *Hairspray*. Foi *maravilhoso*. Já está entre os meus dez filmes favoritos de todos os tempos. Com certeza. Fechamos a porta para não ouvir as Clones, nos enrolamos no sofá e fizemos pipoca no micro-ondas.

— É bom fazer isso — disse mamãe. — Só nós duas. Espero que sempre tenhamos noites como essa, mesmo quando eu estiver velhinha!

Isso me fez pensar que talvez ela não esteja tão diferente. E talvez ainda possa ser como a nossa antiga mãe mesmo estando com Stuart. Será que eu que não quis me acostumar com a novidade por esse tempo todo? Mas agora é tarde. Independentemente do que penso, não tem mais volta.

Sábado, 31 de outubro, 20:44

MODO CHORÃO

Alguns Adultos choram por qualquer coisa. Para alguns, basta um filme triste ou uma propaganda do abrigo para cachorros abandonados e eles choram tanto que daria para encher uma banheira pequena.

Alguns modelos de Adulto secretamente gostam de estar no Modo Chorão e se sentem ótimos depois de uma choradinha. Outros modelos, entretanto, só choram se algo realmente perturbador ou terrível aconteceu.

Terminou tudo. Minha mãe está chorando sem parar no quarto. Eu não podia estar me sentindo pior.

Melhor explicar do começo. Conforme combinado, Tia Julie chegou para o café da manhã.

— Quando Stuart chega? — perguntou.

— Ah, no início da tarde — disse mamãe. — Ele está nervoso com a festa, por ter que conhecer a família toda de novo.

— Vai dar tudo *certo* — acalmou-a tia Julie. — Mas, veja, tive essa ideia maravilhosa. Bem, Mandy e Katie me ajudaram também.

— Que ideia? — perguntou minha mãe.

— Mandy quer que você esteja *linda* para a festa — disse tia Julie, tão casualmente quanto conseguiu. — Então ela perguntou se podíamos ocupar Stuart ao longo da tarde. Pensei que eu podia levar Stuart, Jack e Katie para uma caminhada à beira do rio, nos parques da universidade.

— Não sei... — disse mamãe. — Não planejo demorar tanto para me arrumar...

— Vamos lá, me deixe fazer isso — persuadiu tia Julie. — Mandy planejou algo incrível pra você e quer que seja surpresa.

— Tudo bem — disse minha mãe, que obviamente tinha perdido todas as suas Funções Intuitivas. — Acho que sempre gostamos desse ritual antes de uma festa.

Ficou combinado que eu e tia Julie tiraríamos Stuart e Jack da casa depois do almoço para que Mandy pudesse começar a lançar seu feitiço na mamãe.

Quando chegou, Stuart estava tão desanimado quanto minha mãe em relação ao Plano, mas não tinha alternativa a não ser entrar na onda. Ele estava muito quieto durante o almoço, como se estivesse preocupado com alguma coisa. É claro que podia ser culpa da sardinha e da mozarela na torrada.

A essa altura, preciso explicar que a intenção da minha tia Julie nunca foi me levar para Oxford com Stuart e Jack. Fomos a pé até a casa da tia Julie, entramos no carro e então ela fingiu que o carro não estava pegando.

— Ah, nossa — disse ela, se virando para Stuart —, nós não cabemos no seu carro, cabemos? Bem, teremos que pensar em alguma outra coisa para nos deixar ocupados por uma hora mais ou menos.

— Mas eu queria alimentar os patos! — disse Jack, desanimado. Eu me senti péssima por o termos deixado na esperança de deixar Brindleton por algumas horas.

Stuart acariciou as costas de Jack.

— Está tudo bem, amigão — disse. — Vamos pensar em outra coisa divertida para fazer. Que tal uma escalada?

— Não podemos fazer algo assim — disse tia Julie rapidamente. — Eu não conseguiria acompanhar. Já sei, por que você não vem conosco visitar um dos nossos parentes? Você ainda não conheceu a bisavó Peters, conheceu? Aparentemente, quando nova ela era *igualzinha a Alison*.

— Não sei se é uma boa ideia... — disse Stuart, se sentindo encurralado. Mas ele estava contra a tia Julie, então não tinha esperança.

Então — conforme combinado no Plano Ardiloso — levamos o pobre Stuart para a casa da bisavó Peters, onde ele pôde ver como mamãe se pareceria em uns cinquenta anos: uma mulher pequena e agressiva que xinga muito e tem o rosto parecido com uma noz.

Minha bisavó estava vendo um programa matinal de culinária e não estava nada convencida pelo chef celebridade da TV.

— Que coisa medonha — disse ela. — Eu não daria isso nem para um cachorro. O que ele acha que está fazendo? Que idiota estúpido ele está com esse corte de cabelo! E quem é você, afinal?

— Esse é Stuart, o namorado da minha mãe — expliquei.

A bisavó Peters examinou Stuart de cima a baixo com seus pequeninos olhos de conta.

— Não é feio — disse ela. — Mas não é páreo para Mike. Mike foi o amor da vida de Alison, você sabia? Eles começaram a namorar quando ela tinha a idade de Katie, aos 13 anos. Ah, ela nunca vai encontrar outro assim. Você aceita um biscoito digestivo? Ou prefere um com creme?

Sabíamos que podíamos contar com a bisavó Peters quando o assunto era dizer o que vinha à cabeça — e que ela seria completamente insensível. Não é como se ela tivesse a intenção de magoar as pessoas, ela simplesmente diz a verdade.

Ainda assim, Stuart parecia ter ficado chateado quando ela disse que ele não era páreo para o nosso pai. Não era surpresa ele não ter aceitado o biscoito.

Deixamos Jack na casa da bisavó Peters para fazer companhia (ele não gostou *nem um pouco*), e levamos Stuart para a casa da minha avó e do meu avô Williams.

— Acho que chega de visitas — disse ele, esperançoso.

Mas tia Julie estava determinada, e nem ouviu o que ele disse.

Meu avô estava no seu lote, então estávamos à mercê da vovó. Sentamos no quarto que ela considerava o melhor, cheio de lembrancinhas da família real. Stuart encarou a coleção de pratos do jubileu cobrindo as paredes e os enfeites por todas as superfícies.

Minha avó é fumante, então a casa inteira fede a cigarro. Quase não percebemos, pois já estamos acostumados. Mas Stuart começou a tossir assim que entramos.

— Amo a nossa família real — disse vovó Williams ao trazer para Stuart a segunda xícara de chá da tarde. — Principalmente a rainha Elizabeth. É uma mulher maravilhosa. Tem um *senso de responsabilidade* tão grande. Tem sim. — Ela olhou diretamente para Stuart quando disse isso. Era a primeira vez que ela o via desde que contamos que ele nunca visitava os próprios pais, tudo parte do Plano Ardiloso.

— E você trabalha no mercadinho — disse Stuart, entre uma tosse e outra. — Deve ser interessante.

— Me mantém ocupada — disse vovó Williams, acendendo um cigarro e se ajeitando na cadeira. — Como dizem por aí: "mente ociosa oficina do diabo". Eu limpo também. Não é à toa que os chamam de *ricos nojentos*! Então, quero há muito te perguntar sobre uma coisa que tem me intrigado.

— Pode perguntar! — disse Stuart.

— Ouvi falar que você nunca visita seus pobres pais a não ser no Natal. Tem algum problema com eles?

— Não — disse Stuart, entrando no Modo Irritado.

— Você pode *achar* que uma vez ao ano é o bastante, mas não é — disse vovó Williams. — Você parece um jovem decente, mas que tipo de pessoa não tem tempo para a família?

Stuart ficou de pé.

— Acho melhor irmos — disse ele, franzindo o cenho e evitando o olhar da vovó. Aquilo fez com que ele parecesse volúvel.

— Bem, *talvez seja melhor* — disse vovó. Então se levantou e soltou uma baforada indignada na cara de Stuart.

Quando saímos da casa da minha avó, Stuart disse com determinação:

— Vamos voltar para casa para ver como anda a sua mãe.

— Mas... ainda *não podemos* voltar — disse tia Julie, frenética. — Elas precisam de mais tempo para se arrumar. Que tal mais uma visita? Vamos até Susan e Dave, eles moram aqui na esquina. Você pode tomar uma cerveja. Acho que está precisando.

Então, por causa da cerveja que ele provavelmente precisava mesmo, convencemos Stuart a ir até a casa da tia Susan e do tio Dave.

Lá, tia Julie encorajou os adultos a beberem cerveja e vinho, e então, quando todos estavam relaxados e com a guarda baixa, ela direcionou a conversa para o meu pai, irmão mais novo do tio Dave.

Claro que os olhos do meu tio umedeceram e ele contou algumas histórias sobre o meu pai quando era criança. E depois tia Susan contou algumas coisas sobre como meus pais tinham se conhecido. E Stuart não tinha como não ver a gigantesca foto do casamento de mamãe e papai que meus tios tinham sobre a lareira. Os dois pareciam tão novos e apaixonados (o buquê da minha mãe estrategicamente sobre o barrigão que viria a ser Mandy).

À medida que o vinho e a cerveja rolavam e mais histórias sobre os meus pais e minha grande família eram reveladas, Stuart parecia mais e mais introspectivo. Não era para menos. Aquelas histórias só faziam com que ele se sentisse cada vez mais como um pária. Ainda que ele tenha continuado a sorrir e assentir com educação, sua expressão parecia de verdade meio *magoada*.

Pela primeira vez, vi Stuart não como alguém que estava tentando roubar nossa mãe de nós, mas apenas como um ser humano tentando se ajustar no mundo. Alguém que podia ser feliz, triste, irado, esperançoso... ou sozinho.

Então percebi que eu estava me sentindo incrivelmente, absurdamente mal por ele. Quase como se eu fosse chorar. E daí eu me senti terrível com o que estávamos fazendo. Mas era como estar em um trem indo cada vez mais rápido — você não pode descer. E era tarde demais para detê-lo.

Sábado, 31 de outubro, meia-noite

MODO DEVASTADO

Também pode ser chamado de Modo Destruído, porque é quando o seu Adulto está tão assustado e zangado por causa de alguma coisa que fica difícil funcionarem de uma forma ou de outra.

Se o seu Adulto está no Modo Devastado, ele vai afetar a todos — tudo fica confuso e os sentimentos se misturam. É como um furacão ou algo do gênero.

O melhor a fazer quando o seu Adulto está no Modo Devastado é aguentar firme. Ninguém pode ficar no Modo Devastado para sempre, possivelmente ninguém tem energia para isso. A vida precisa seguir em frente, mesmo que tudo nunca mais seja como foi.

Mamãe está de volta a um lugar para o qual não queríamos que ela tivesse voltado. Ela está no Modo Devastado. Onde não podemos encontrá-la. E somos o motivo para ela estar ali. A culpa é nossa.

Depois da tarde dedicada ao Plano, nós demos algumas desculpas e voltamos para casa com um Stuart completamente mudo. Tia Julie tentou conversar um pouco, mas ele não respondeu.

Quando chegamos em casa, no hall, ouvimos mamãe dizer para Mandy:

— Mal posso *esperar* para ver a cara do Stuart!

Entramos trotando na sala de estar, onde minha mãe estava toda arrumada sentada no sofá.

— Tcharam! O que acham? — perguntou Mandy.

Foram horas até mamãe virar uma roqueira punk cheia de delineador, piercings falsos, tatuagens falsas — incluindo uma teia de aranha no pescoço —, cabelo estruturado e frisado (pintado de preto), correntes, coleira e um saco de lixo preso por alfinetes de segurança. Ela estava aterrorizante.

Stuart a encarou.

— Posso conversar com você lá fora? — disse ele.

— Por quê? — respondeu mamãe.

Ele a pegou pelo braço e eles desapareceram no jardim dos fundos da casa por cerca de meia hora. Tia Julie, Mandy e eu nos sentamos na sala de estar, uma olhando para a outra.

Tia Julie estava esquentando água na chaleira quando eles voltaram do jardim e foram andando até o hall de entrada. Minha mãe estava visivelmente chateada e assustada, seu delineador preto estava borrado e o rímel tinha deixado as lágrimas marcadas pelo rosto.

Levar um fora já é bem ruim, mas levar um fora vestida com um saco de lixo preso por alfinetes de segurança deve ser particularmente humilhante. Você deve ter vontade de entrar num latão de lixo propriamente dito para acabar logo com aquilo.

— Acho que vai ser melhor assim. — Ouvimos Stuart dizer. — Desculpe.

Ouvimos a porta da frente se fechar e em seguida o farfalhar do saco de lixo à medida que minha mãe subia as escadas. Depois ouvimos a porta do quarto dela bater.

Mamãe não queria conversar conosco, nem mesmo com a tia Julie. Em um momento, quando minha tia bateu na porta do quarto dela, ouvi minha mãe gritar:

— Julie, *vá para casa*.

Tia Julie saiu, parecendo chateada. Acho que ela não ganhará xícaras de chá, biscoitos digestivos ou simpatia da minha mãe por um bom tempo.

Mas mamãe, como sempre, não conseguia ficar zangada por muito tempo. Logo a ouvimos chorar — soluços longos sufocados pelo travesseiro.

— Bem — disse Mandy, sem emoção —, acho que nossa missão terminou.

Um silêncio prolongado se instaurou.

— Vou buscar Jack — falei finalmente, vestindo o casaco. Eu precisava sair de casa.

Meu irmão e bisavó Peters estavam assistindo a *Doctor Who*.

— Esse rapazinho — disse minha bisavó, apontando para o doutor com um biscoito — pode fazer coisas surpreendentes com uma chave de fenda... assim como com esses bichinhos verdes perversos e escorregadios cheios de dentes que ficam atrás dele.

Mandy foi para a festa, no fim das contas. Primeiro ela pegou Jack e o deixou na casa da tia Susan para aproveitar a babá de Matthew — ela precisava deixá-lo longe dos soluços inconsoláveis da mamãe. Eu não estava com vontade de sair. Nem Hannah e Loops conseguiram me persuadir quando as duas vieram ronronando em suas fantasias de gatinho, totalmente no clima do Halloween.

— Mas Ben Clayden vai estar lá! — disse Hannah. Ela ainda acredita que eu gosto dele. Se ela soubesse a verdade...

Eu simplesmente não conseguia encarar a festa. Hannah com Neil, Loops com Thomas e Jonathan Elliott (ou Língua de Girafa, como eu o chamo agora) esperando para dar o bote. De qualquer modo, eu não queria deixar minha mãe sozinha.

Então passei a noite toda escrevendo isso e abraçando Rascal no sofá. Ocasionalmente, bati na porta do quarto da mamãe para ela responder que queria ficar sozinha.

Onde foram parar as minhas habilidades em operar os Adultos? Como eu posso tirar minha mãe desse modo?

O *que* nós fizemos?

Sábado, 14 de novembro

MODO ZUMBI

O Modo Zumbi não ocorre quando o braço direito do seu Adulto cai enquanto ele cambaleia por um cemitério. É um mau funcionamento específico no qual a mente do seu Adulto parece estar completamente vazia — esse modo pode ser induzido em grande parte dos modelos simplesmente ligando a televisão. O Modo Zumbi muitas vezes tem origem no Modo Cansado ou pode ser um efeito colateral do Modo Triste ou do Modo Depressão. Não espere muito do seu Adulto quando ele estiver nesse modo. Considere que ele está em "stand-by". É preciso habilidade em alternar os modos para reativar os Adultos do Modo Zumbi.

Independentemente do que tentamos, nada tirou minha mãe daquela tristeza. Mamãe tem estado no Modo Zumbi pelas últimas duas semanas. Nós arruinamos a vida dela.

Ter a vida arruinada é algo que deve deixar você preocupado, principalmente quando sua única chance de ser feliz foi arrancada por pessoas que supostamente deveriam te amar.

Mamãe voltou a ser como era quando meu pai morreu, cabisbaixa pela casa e sem se incomodar em pentear o cabelo. Ela não foi trabalhar durante uma semana e até mesmo agora, que voltou, tem esquecido aulas.

Acho que, no jardim, Stuart disse algo sobre todos ficarem mencionando o meu pai, porque mamãe praticamente não fala mais com tia Julie, tio Dave e tia Susan. Quando eles aparecem, ela dá desculpas e não os convida para entrar.

Eu deveria ficar feliz por ela ter parado de cozinhar e estarmos comendo comida pronta, que ao menos são comestíveis à sua maneira artificialmente química. Sim, até mesmo algo artificialmente químico é melhor do que qualquer coisa que a minha pobre mãe poderia preparar. Mas eu gostaria que ela saísse do sofá e cozinhasse algo bem nojento. Significaria que ela estava se divertindo de novo.

22:00

Sou horrível. Porque não magoei só minha própria mãe. Fiz algo terrível esta noite. Não vou conseguir pregar o olho *de jeito nenhum*.

Dá pra entender por que eu quase desisti deste guia. Quem sou eu para falar sobre Adultos quando está tão claro que eu não faço ideia de como lidar com suas vidas e até mesmo com a minha?

Mamãe está inconsolável, e eu estou inconsolável porque ela está inconsolável. E nenhuma das minhas grandes habilidades em operar Adultos está funcionando. Claro que não estão. Porque sou podre. Não sou nada especialista nisso. Sou uma bela e grande enganação. Não sei nada. Nunca mais ouçam o que eu digo.

Este não é um guia de operação que será útil caso você esteja tentando controlar o seu Adulto — Mandy estava certa: não passa de um diário patético da minha trágica vida. Você pode mesmo parar de lê-lo, principalmente agora que eu me entreguei. As coisas estavam ruins, mas agora estão Oficialmente Piores. Eu acabei fazendo algo tão ruim quanto o que fiz com a minha mãe. Aconteceu algo que deveria ter sido incrível, mas graças à maneira como aconteceu, é muito, *muito* ruim e *eu não sei como resolver dessa vez.*

Hoje à noite, Hannah saiu com Neil Parkhouse, de novo. No boliche, pelo que sei.

Presumi que Loops estava com Thomas e, por algum motivo irracional, fui ao parque sozinha. Estava ficando tarde e, se mamãe não estivesse tão fora de si, ela nunca teria me deixado sair de casa àquela hora da noite.

Eu estava muito zangada por três motivos:

1) Obviamente porque mamãe estava um caco;
2) É minha culpa ela estar um caco;
3) Hannah e Loops começaram a sair com Neil e Thomas sempre que podiam, me deixando completamente sozinha. Elas inclusive fizeram isso na noite passada.

— Você pode vir pra minha casa mais tarde hoje à noite, tipo depois de nove e meia? — disse Hannah ao telefone.

— É que eu e Loops vamos encontrar os meninos.

— Quer saber? — falei, baixinho. — Simplesmente não vou.

— Katie, não seja assim! — reclamou Hannah. — Só porque você não quer sair com ninguém, não quer dizer que *nós* não devemos.

Então, há algumas horas, fui marchando até o parque, muito de saco cheio para perceber que eu estava na rua sozinha depois de escurecer. Quando cheguei lá, fiquei sentada sozinha no balanço, pensando no quanto a minha vida era injusta.

Então levei um susto. A lua, que estava brilhante a ponto de iluminar tudo, desapareceu entre as nuvens. Ficou tão escuro que eu mal podia enxergar o outro lado do parque.

Ouvi um farfalhar. Então outro. Um galho se quebrou. Meu coração começou a bater muito rápido.

— Alô? — chamei.

Agora eu estava começando a entrar em pânico. Estava escuro demais para saber se eu estava sozinha ou se alguém estava se aproximando silenciosamente de mim. Nunca na minha *vida toda* senti tanto medo.

Devagarzinho, fiquei de pé e andei em direção aos limites do parque. Então abri o portão e corri o mais rápido que pude pelo parque até a rua do outro lado, na qual havia luzes e onde eu me sentiria segura.

Perto do fim do parque, dei de cara com Thomas Finch.

Fiquei tão aliviada ao ver um rosto familiar.

— O que houve? — disse ele.

— Nada. — Eu estava sem ar. — Estou bem. Só fiquei um pouco assustada....

— Está tudo bem — disse ele, colocando o braço ao meu redor. — Vou com você até em casa. Você está trêmula.

Então andamos até a minha casa, o braço dele nos meus ombros pelo caminho inteiro.

— Eu fiz você se atrasar — falei, quando chegamos à porta. Olhei para ele. — Você provavelmente vai ver Loops.

— Na verdade, não, não dessa maneira... — disse ele. Então parou de falar, como se pensasse se deveria me dizer uma coisa.

— Estamos terminando — disse ele.

Meu coração deu um salto e fez uma dancinha para comemorar. Fiquei pensando por que Loops não tinha me contado, mas naquele exato momento nem liguei.

— Ah — falei. Mas não pude me controlar e dei um sorrisinho, olhando pra ele feito uma idiota. O que você pode achar que o teria afastado, mas não.

Ele se inclinou e me deu um beijo.

Não do tipo horrível com Língua de Girafa (ou como imagino que seja um beijo com Língua de Girafa). Foi um beijo delicado, doce, cálido e adorável, que eu gostaria que tivesse durado para sempre.

Eu não sabia o quanto eu queria aquele beijo e por quanto tempo.

Fomos interrompidos pelo som de passos se aproximando. Eram Leanne e Shannon.

— Ora, ora — disse Leanne. — Gostaria de saber o que a sua "amiga" Loops vai achar disso. *Ela* está esperando por ele logo ali, no mercadinho, e *você* está agarrando o próprio bem aqui! Que legal, hein, Katie?!

Elas continuaram, se desfazendo de prazer.

— Mas... você disse que vocês tinham terminado — falei, olhando para Thomas para que ele confirmasse. Ele parecia constrangido.

— Eu estava indo fazer exatamente isso.

— Acho melhor você ir — falei.

— Vou conversar com ela agora mesmo — disse ele, e começou a se afastar. Apenas balancei a cabeça, me virei e entrei em casa, fechando a porta. É impressionante o quão rápido você pode passar de se sentir por cima para se sentir inconsolável de novo.

Corri direto para o quarto a fim de mandar uma mensagem para Hannah e para Loops, mas percebi que havia deixado meu celular na casa de Hannah, mas como Mandy não estava em casa eu podia pegar o dela emprestado. Liguei para Hannah, mas caiu na caixa postal, então deixei uma mensagem pedindo que me ligasse imediatamente. Fiz o mesmo com Loops, porque o telefone também estava na caixa postal. Elas ainda não me ligaram de volta.

Estou me sentindo muito mal com o que aconteceu, e não consigo entrar em contato com a Loops.

Pensei por tanto tempo em como seria o meu primeiro beijo, e agora aconteceu. Meu primeiro beijo traiu uma das minhas melhores amigas.

Amanhã, antes de qualquer coisa, vou direto até a casa de Loops para explicar tudo.

Domingo, 15 de novembro, 14:01

Às nove da manhã eu já estava engolindo o café, vestida e pronta para ir até a casa de Loops. Então a campainha tocou.

Abri a porta e lá estavam Hannah e Loops. Os olhos de Loops estavam avermelhados, era óbvio que ela tinha chorado. Meu coração ficou pesado.

— É melhor entrarem — falei.

Elas entraram, e subimos para o Quartinho. Hannah me olhava como se não me conhecesse. Foi horrível.

— Que bom que estão aqui — falei. — Eu estava pronta para ir encontrar vocês e explicar o que aconteceu ontem à noite...

— Você não precisa nos dizer nada — disse Loops com uma voz trêmula. —Leanne descreveu a cena ontem à noite. Como você *pôde*, Katie?

— Thomas me disse que vocês tinham terminado...

— E então você se jogou em cima dele, não foi? — Hannah estava indignada. — Nem por um momento você pensou em como Loops poderia estar se sentindo? Se alguém que você gosta terminasse com *você*, como iria *se* sentir?

— Eu não sabia que ele estava terminando com você... — reclamei. — Eu entendi que vocês tinham decidido...

— Você *entendeu*? — disse Loops. — Bem, obrigada por esclarecer exatamente o que estava acontecendo! Pensei que você fosse minha amiga.

— Mas eu sou! *Sou* sua amiga! — Balancei a cabeça. — Eu só entendi tudo errado e aí simplesmente aconteceu...

— Ah, esquece! — falou Loops. — Você *mentiu* pra gente! Deixou que pensássemos que você não gostava dele, mas no minuto que teve a chance, o agarrou pelas minhas costas! Você *sabe* como isso é sorrateiro? Fez com que eu parecesse uma idiota! Quer saber, pensei que você pudesse se desculpar, mas aparentemente você não acha que fez algo errado. Até mais.

— *Loops...!*

Lancei um olhar suplicante para Hannah, esperando que ela dissesse algo para me ajudar, como dizer para Loops que eu nunca faria algo para magoá-la de propósito. Mas ela olhou para o chão.

Quando Loops se virou e saiu, Hannah a seguiu.

— Tchau, Katie — disse ela, triste.

Fiquei lá parada, estupefata, pensando que elas estavam absolutamente certas em me odiar pelo que eu havia feito. E que eu possivelmente sou a pior pessoa na história do universo.

Fechei a porta da frente e fui até a sala de estar. Minha mãe estava no sofá. A mesa do café não estava limpa. Mandy não estava à vista, e Jack estava no computador. A televisão não estava ligada, mas mamãe encarava a tela. Percebi que minhas duas melhores amigas tinham me abandonado e mamãe nem havia notado.

21:32

Passei o restante da tarde chorando com a cabeça coberta e minha mãe nem percebeu. Mandy chegou e, quando viu minha cara inchada, entrou imediatamente — graças a Deus — no Modo Compreensivo. Acho que eu não teria aguentado se ela também não tivesse se importado.

Mandy estava impressionada que mamãe estivesse tão fora do mundo a ponto de não notar o que estava acontecendo. Era como se ela tivesse desistido — ela não lava mais as roupas nem compra o básico para nos alimentarmos.

Então ligamos para tia Susan, que veio, deu uma olhada na mamãe e disse que voltaria no dia seguinte para levá-la ao médico. Devia ser sério.

Domingo, 6 de dezembro, 15:00

MODO DEPRESSIVO

É quando um Adulto está inconsolável, sombrio, se lamentando e tendo pensamentos tristes, mas a situação não é passageira. Dura muito muito tempo. Pense no Modo Triste, com duração interminável.

Às vezes há uma boa razão para um Adulto entrar no Modo Depressivo, às vezes não há motivo algum. Alguns dizem que é algo químico que ocorre no cérebro. Com certeza é uma doença, e só há um bom conselho nesse caso: leve seu Adulto ao médico.

Faz quase três semanas que mamãe foi ao médico. Ela está tomando antidepressivos, e espero que eles comecem a fazer efeito logo. Aparentemente, pode demorar um pouco para tal.

Ela passa muito tempo no sofá, vendo TV sem ver TV. Cada vez que vejo em seu rosto aquela expressão triste ou insignificante, eu me sinto muito mal pelo que fizemos. Ela deve saber que estávamos por trás de tudo, mas não diz nada. Ela não está zangada com Mandy nem comigo. Ela entrou no Modo Desapontado. Que, claro, é bem pior.

Como se não bastasse, Hannah e Loops não tinham falado comigo desde que disseram o que pensavam de mim. E eu nem tive coragem de escrever sobre isso. Ou de escrever qualquer coisa, para ser sincera...

Como não tenho Hannah e Loops, Leanne tem me dado trabalho sempre que pode. Ela tem me seguido, dizendo que não tenho amigos e que todos me odeiam. As Mutantes a seguem enquanto ela me segue. E riem de tudo que ela diz.

— Thomas Finch disse que você beija muito mal — dizia ela. — Ele disse que foi como se estivesse beijando um peixe.

— Eu não ligo — digo.

Mas eu ligo.

Sei que ela está mentindo. Porque mesmo se fosse verdade, como Thomas saberia como um peixe beija? Imagine se tivesse aprendido a beijar assim. Com certeza teria sido pior do que Hannah treinando com a própria mão.

Thomas tentou conversar. Ele veio falar comigo no ônibus.

— Desculpe — disse.

— Esqueça — falei. — Foi culpa minha ter acredito no que você disse. Gostaria que ficasse longe de mim, por favor.

Estou zangada com ele por ter me enganado e pelo que ele fez com Loops. Claro que Neil Parkhouse e Jonathan Elliott ainda são amigos dele. Se você é um menino, pode se safar de qualquer coisa e seus amigos continuarão achando que você é o máximo. Enquanto isso, sou uma Pária.

Para ser honesta, Hannah e Loops não estão sendo cruéis comigo — provavelmente porque viram que Leanne já se encarregou dessa parte. Elas só agem como se eu fosse invisível.

Estou muito constrangida e envergonhada para tentar conversar com elas, então não é como se eu estivesse tentando e elas me ignorando... mas quando passo, elas não olham para mim.

Tia Susan e tia Julie têm se revezado na maioria dos dias para nos ajudar e tentar fazer com que mamãe se interesse por alguma coisa.

— Ela está igualzinha a como ficou depois que Mike morreu — disse tia Susan na cozinha.

— Não — disse tia Julie. — Acho que está pior.

Tia Susan está no Modo Preocupado porque Hannah e eu não estamos conversando.

— Não sei o que aconteceu, mas vocês não podem simplesmente deixar pra lá? — perguntou ela.

—Você *não entende* — disse eu.

19:42

Já ouviu dizer que a tristeza gosta de companhia? Bem, Mandy e eu estamos nos dando muito bem agora que estamos nos sentindo tão mal. Não gritamos uma com a outra nem discutimos há semanas.

Na verdade, Mandy tem sido ótima. Contei a ela o que tinha acontecido com Hannah e Loops, então ela está sendo bastante protetora. Senta ao meu lado no ônibus em vez de ficar com as Clones. O que deve ser a coisa mais legal que ela já fez por mim na vida.

Felizmente, Jack é tão sensível quanto um rinoceronte. Acho que na verdade ele está feliz por estarmos falando

menos. Agora ele pode nos contar sobre seus persona-
gens favoritos de *Doctor Who* por horas a fio e nem o
interrompemos.

Outro dia, ele arrotou o hino nacional. Notas perfeitas.
Nem isso conseguiu me animar.

Mas ele não é um rinoceronte inteiramente.

— Quando Stuart vai voltar? — diz ele de vez em
quando. Hoje mesmo ele perguntou.

Outro dia, quando estávamos indo dormir, disse para
Mandy:

— Não devíamos ter feito aquilo, né?

Houve um longo silêncio. E ela respondeu, bem baixinho e com um tom nada característico para Mandy:

— Não.

Sexta-feira, 10 de dezembro, 22:00

MODO CARA VALENTE

Muitos modelos de Adulto são ótimos no Modo Cara Valente, no qual usam uma expressão feliz com os outros quando, na verdade, estão tão destruídos que — em casa e sem plateia — mal conseguem se levantar do sofá.

Pode ser útil o seu Adulto entrar no Modo Cara Valente, porque ele pode te poupar de um grande constrangimento quando você está na rua com ele. Não é muito legal ver o seu Adulto se debulhando em lágrimas nos Correios e contando para um completo estranho na fila todos os problemas dele.

Entretanto, alguns modelos de Adultos são tão bons no Modo Cara Valente que outros Adultos não percebem que eles precisam de ajuda. Em um caso assim, cabe a você fazer com que a pessoa certa saiba disso.

Falta apenas uma semana para as férias de Natal e já faz quase um mês desde que eu vacilei com Hannah e Loops. Tem sido bem horrível, mas acho que depois de tudo que eu fiz, mereço ficar inconsolável. Trair uma de suas melhores amigas, partir o coração da sua mãe... Sou incrível.

Os antidepressivos estão funcionando. Minha mãe está de pé e fazendo as coisas agora. Ela tem estado com uma expressão valente porque o Natal está próximo, então até tem fingido estar entusiasmada em decorar a casa e montar a árvore.

Mas apesar de mamãe estar andando, falando e parecendo normal, eu não consigo mais operá-la. Não consigo alcançá-la. É como se houvesse uma bolha ao redor dela. Se eu não a conhecesse, poderia achar que não havia nada errado, mas nós podemos ver.

É outra pessoa.

Ela não faz mais as besteiras que costumava fazer, tipo rir descontroladamente de alguma coisa boba na televisão (como um cachorro usando um chapéu ou algo assim), nos dizer que estamos "arrasando" quando estamos apenas com o uniforme da escola ou dizer do nada que barbas deveriam ser ilegais.

Ela nem faz mais cerâmica aos sábados de manhã vestida com o macacão do papai.

À noite, quando Jack já está na cama, costumamos sentar juntas e assistir TV, emboladas no sofá. Semana passada apareceu em um programa um cachorro de skate e óculos, e mamãe nem esboçou um sorriso.

Eu e Mandy não estamos mais dormindo na casa de amigas nem indo ver ninguém. Bem, eu nem tenho muita escolha, para ser honesta, pois não tenho mais nenhuma amiga mesmo. Mas, mesmo se eu tivesse, acho que eu não gostaria de deixar minha mãe, pois — apesar da expressão valente — eu sei que ela não é mais a mesma. Mandy pensa como eu. Afinal, é nossa culpa o que aconteceu.

Até mesmo Rascal está deprimido. Ele sente saudades de Stuart! Ele nem senta mais no sofá conosco, mas fica embaixo da mesa da cozinha parecendo muito perdido.

Queria que as coisas voltassem a ser como antes.

Segunda-feira, 13 de dezembro, 21:30

Minha mãe teve um treino noturno com a Sra. Caulfield, então tia Julie veio nos visitar.

— Você acha que ela está melhor? — perguntou. — E já superou Stuart?

— Parece que ela *nunca* vai superar — disse Mandy. — Ela vai ficar triste e sozinha pelo restante da vida.

— O que devemos fazer, então? — perguntei pra tia Julie. — Você teve a ideia do Plano Ardiloso. Eu não consigo me aproximar dela. Nada funciona. Você sabe como podemos fazer para que fiquem juntos de novo?

Tia Julie me olhou como se eu tivesse enlouquecido.

— *Juntá-los novamente*? — disse tia Julie. — Por que faríamos isso? Não era isso que você disse que queria? Dê alguns meses a ela para que eu possa levá-la para encontros relâmpagos em Oxford e ela terá centenas de homens disputando para sair com ela.

— Então é tudo por causa *disso* — falei, entendendo tudo.

— O quê? — Tia Julie parecia constrangida.

— Você só queria alguém que pudesse ir para encontros com você, simplesmente para não ter que fazer isso sozinha!

— Isso *não é verdade*! — disse ela, parecendo mais constrangida ainda. — Bem, talvez seja... mas não tente jogar toda a culpa em mim. Vocês duas que me pediram para ajudar. *Vocês* queriam se livrar dele. Eu só quero o melhor para a sua mãe.

— Não quer, não! — gritei.

FATO TRISTE, PORÉM VERDADEIRO

Os Adultos podem ser tão iludidos, infantis e egoístas quanto nós. Se acostume com isso.

Saí de casa, correndo pela rua sem saber para onde ia, mas precisando correr de tão zangada que eu estava com a tia Julie — e comigo mesma.

Depois de uns cem metros, é claro, eu esbarrei em um parente. Estatisticamente, isso iria acontecer. E por acaso era minha avó. Quase derrubei o cigarro da mão dela.

— O que há de *errado* com você? — disse ela. — Toda vez que encontro você ultimamente é como se fosse o fim do mundo.

— Nada — respondi, ainda sentindo raiva. — De qualquer modo, não posso *te* contar, posso? Tudo que eu conto para você, todo mundo da cidade fica sabendo. Daria no mesmo ligar para a estação de rádio local.

Vovó pareceu magoada.

— É o que você pensa? Que eu não consigo guardar um segredo? Bem, fique sabendo que sei segredos que fariam seu cabelo arrepiar. Se alguém me conta uma confidência, então ela está protegida. Em boca fechada não entra mosca! Era assim que se falava na minha época. Você pode seguir seu caminho se quiser, mas se quiser vir comigo para tomar uma xícara de chá e conversar, eu prometo que ficará entre nós.

Então fui para a casa da vovó e tomei chá de uma das suas xícaras douradas do jubileu da rainha. E contei tudo a ela. Sobre o Plano Ardiloso, Stuart indo embora e mamãe arrasada. Contei a ela sobre o que fiz com Hannah e Loops por causa de Thomas. Mas não contei sobre Mandy e Joshua Weston. Isso é problema de Mandy.

— Nossa, que história — disse ela quando eu terminei. — E o que você vai fazer? Onde há um desejo, há um caminho.

— Eu não sei — respondi. — Não sei o que fazer. Pensei em contar para a mamãe ou telefonar para Stuart ou até mesmo ir até Oxford para conversar com ele. Mas também acho que já me envolvi demais.

Vovó entrou na cozinha para lavar as xícaras, voltou e, ao sentar, inspirou profundamente.

— Concordo. Acho que você não deve fazer nada.

— Nada?

— Como eu disse, nada. Absolutamente *nada*. Sua mãe perdeu seu pai e ele era o norte dela. O que ela precisa, e o que vocês precisam, é de alguém nas suas vidas que fique em vez de sair correndo assim que aparece o primeiro problema. Se Stuart a ama da maneira como ela merece ser amada, ele não deveria se importar com o que você pensa, nem com o que qualquer um de nós pensamos. Esse plano bobo foi um teste e, na minha opinião, Stuart não conseguiu passar.

Eu não havia pensado nas coisas dessa forma. Fez com que eu me sentisse melhor.

— Obrigada, vovó.

— E, mais uma coisa — disse ela —, acho que já passou da hora de se desculpar com as suas amigas. Nunca é tarde para consertar alguma coisa.

Terça-feira, 14 de dezembro, 21:40

Hoje reuni mais coragem do que em toda a minha vida. Depois da aula, fui até a casa de Loops.

Joshua abriu a porta.

— Não acho que ela queria vê-la — disse ele, com aquela careta característica (que faz com que seja difícil dizer se ele está irritado ou apenas sendo ele mesmo).

— *Por favor* — pedi.

Loops apareceu atrás dele.

— Tudo bem — falou. — Ela pode entrar.

Ela me levou até o quarto, e Hannah estava sentada na cama. Nenhuma das duas me olhava nos olhos.

Fiquei pensando se Hannah ia dormir na casa de Loops, como eu costumava fazer com ela. Senti como se eu tivesse sido traída, o que é idiota. Eu preciso aceitar que algumas coisas mudam, e se Hannah e eu não temos mais nossa sagrada noite de sexta-feira, isso não quer dizer que não sejamos mais melhores amigas.

Respirei fundo.

— Eu vim para me desculpar. Não mereço ser sua amiga... e tenho saudades. Tenho *muitas* saudades das duas.

Então não consegui continuar e comecei a chorar. Veio tudo de uma vez, toda a tristeza que eu vinha sentindo por ver a mamãe chateada, e pelas saudades de Hannah e Loops, e por ter estragado tudo. Fiquei parada na porta do quarto e chorei como um bebê.

E foi quando eu descobri o quanto minhas amigas são incríveis. Porque elas entraram imediatamente no Modo Abraço, e não há nada como o Modo Abraço para deixar tudo milhões, bilhões, zilhões de vezes melhor.

Depois de nos abraçarmos por séculos e de chorarmos mais um pouco, Loops pegou chocolate do esconderijo embaixo da cama. E começamos a colocar o assunto em dia.

— Adivinha com quem Loops está saindo? — perguntando Hannah, rindo.

— Com quem? — perguntei, e por um instante pensei em Thomas Finch. Disse a mim mesma que se fosse isso, eu teria que aceitar. Sempre haverá o Himalaia.

— *Jonathan Elliott*! — guinchou Loops.

Fiquei surpresa com o quanto me senti aliviada.

— E tudo porque descobri que Ailsa Prior gosta dele!

Ailsa Prior é bonita, sofisticada e descolada — e tem *16 anos*. Muitos meninos gostam dela. Mas eu não conseguia entender sobre o que Loops estava falando.

— Descobri que ela tinha uma quedinha por Jonathan — explicou Loops. — Ouvi Mandy conversando com Lucy Parrish sobre isso no ônibus outro dia. E foi quando percebi que ainda gostava dele, porque eu não queria que ele saísse com ela. Queria que ele saísse *comigo*! Então o chamei... e foi isso!

— *E* ele disse para Loops que *a* prefere! — disse Hannah, totalmente feliz por Loops.

— Jonathan disse que gosta de ruivas — disse Loops, presunçosa. — Você sabia que apenas dois por cento da população mundial é de ruivos e que podemos entrar em *extinção* em menos de cem anos?

Eu podia adivinhar quem tinha contado a ela aquele dado fascinante. No fim das contas, ela sempre preferiu Jonathan.

— Eu gostava de Thomas — disse Loops. — Mas não havia aquele frio na barriga como com Jonathan. Você sabe, eu acho que Thomas sempre gostou de *você*, Katie.

— Bom, não vai rolar — falei.

Loops sorriu, e pôs os braços ao meu redor.

— Se rolasse, eu não me incomodaria — disse ela.

Voltei pra casa com um sorriso gigantesco no rosto. Acho que hoje vou dormir bem melhor.

Mas eu estava falando sério sobre Thomas Finch. O momento tinha ficado para trás.

Sexta-feira, 18 de dezembro, 19:10

MODO DETERMINADO

Quando um Adulto está no Modo Determinado, eles realmente estão dispostos a conseguir alguma coisa. O melhor a fazer é estar ao lado do seu Adulto quando ele está assim, pois ele irá focar no seu objetivo e seguir em frente com determinação, não permitindo que nada o atrapalhe.

Você sabe, as coisas acontecem de um jeito engraçado. Quero dizer, mamãe agora está bem com tia Julie, tio Dave e tia Susan, e receberemos todos eles no Natal.

Apesar de tudo que aconteceu e da participação dos três nisso, minha mãe nunca viraria as costas para eles — família é algo muito importante para ela.

Mamãe entrou completamente no Modo Determinado para fazer com que essa ceia de Natal dê certo. E eu não vou tentar convencê-la do contrário. Estou aliviada que ela tenha algo com que se entusiasmar de novo — ainda que isso resulte em envenenar todos nós.

— Vou cozinhar algo *muito especial* para vocês — disse ela para tia Julie e para o tio Dave, quando os visitamos no domingo. Eles se esforçaram para colocar no rosto uma expressão de satisfação; todos menos Matthew, que pareceu apavorado. Obviamente ele tem medo de perder a sensibilidade nas papilas gustativas, assim como Jack perdeu.

Para melhorar, as aulas terminaram hoje por causa do Natal. Ieeeeii! E terminaram de um jeito *incrível*.

Leanne, Sharon e as Mutantes me viram na hora do almoço, no pátio, e, como sempre, Leanne começou a implicar comigo.

— Vejam, a menina-sem-amigos — começou ela.

Como sempre, eu as ignorei. E pensei no que viria em seguida. Talvez ela fosse implicar com as minhas pernas finas.

Tentei me afastar, mas Leanne me encurralou e jogou um pouco da água da sua garrafinha em cima da minha cabeça.

— Desculpe! — disse Leanne. — Toda hora jogo água em cima de você *sem querer*!

Tentei tirar a água que havia escorrido até meus olhos, mas Leanne continuou a esguichar. Meu cabelo estava ensopado, pingando. Então vi Hannah e Loops vindo correndo. Hannah derrubou a garrafa de água da mão de Leanne e Loops chutou a garrafa para o outro lado do pátio. Em seguida as duas ficaram ao meu lado, ombro a ombro.

— Deixe-a em paz — disse Loops com firmeza.

Você devia ter visto a expressão de Leanne.

— O que mais você vai fazer comigo, hein, Leanne? — perguntei. — Parece que consegui alguns amigos, no fim das contas.

Ela lançou aquele sorrisinho nojento na minha direção. Dava para ver seu pequeno cérebro calculando que nós éramos apenas três enquanto ela tinha Sharon e todas as Mutantes do seu lado.

Comecei a me arrepender por ter falado demais quando Mandy chegou trazendo as Clones.

— Algum problema por aqui? — disse Mandy. Agora elas estavam do nosso lado, encarando Leanne e as Mutantes. Foi a *melhor* sensação.

— Ah, *todas* as amigas IDIOTAS resolveram se juntar a ela — gritou Leanne. As Mutantes riram alto.

Elas ainda eram mais numerosas, e me ocorreu que se aquilo se tornasse uma grande briga entre meninas, nós poderíamos não nos sair tão bem.

Foi quando Joshua Weston chegou, fazendo a careta de sempre, acompanhado por Harry, Jake e mais três amigos a reboque — dois deles eram grandes e altos.

— Você está chamando minha irmã de idiota? — disse Joshua para Leanne. — Porque, se estiver, vai ter que dizer pra mim primeiro.

Ele se virou para mim.

— Da próxima vez que essas idiotas incomodarem você, é só gritar que a gente vem. Combinado?

Assenti. Eu poderia ter dado um beijo nele, em Jake e em Harry. Devia ser um dos momentos mais maravilhosos da minha vida até agora, ver a cara de Leanne naquele instante. Não há ninguém mais covarde que um valentão.

Leanne e as Mutantes escapuliram, como as hienas em *O rei leão*.

— Tá tudo bem, Mandy? — perguntou Joshua, se virando e sorrindo para Mandy.

— Hum... tudo bem! — disse ela, ficando absolutamente vermelha. Ela ficou tão embasbacada que nem conseguiu encontrar as palavras para um insulto.

17:10

Fui visitar a bisavó Peters a caminho de casa, pois saímos mais cedo da aula. Ela estava vendo um programa de faça-você-mesmo.

— Vejam o estado daquela sala! — dizia ela. — E ainda chamam isso de reforma! Está mais para dor de cabeça. Veja o papel de parede! E como está a sua mãe? Ainda saindo com aquele rapaz bonitão?

— Não, bisa, não mais — respondi.

— Que pena — disse ela. — Ele tinha antebraços muito fortes e definidos.

Quando cheguei em casa, Loops me ligou e contou que Joshua Weston tinha terminado com Jenny Caulfield, então contei isso pra Mandy *imediatamente*. Ela fingiu não ter ligado, mas pude notar que ela tinha ficado superfeliz com a notícia. Estou feliz por ela!

21:30

Mandy ainda está rindo à toa. E até mesmo minha mãe parece quase alegre. Ela está no sofá cercada por livros de receita, planejando o menu de Natal. Desde que Stuart foi embora, não a vejo empolgada desse jeito. Talvez, quem sabe, as coisas terminem bem.

Um das coisas que meu pai gostava de dizer quando estava no Modo Sábio era: "Não é o que acontece na sua vida que diz quem você é, mas como você reage ao que a vida atira na sua direção."

Apesar de tudo que havia acontecido com mamãe, apesar de tudo que tínhamos feito, ela havia se recomposto e estava seguindo em frente. Ela está no Modo Determinado, e sei que nada vai atrapalhá-la.

Acho que meu pai ficaria muito orgulhoso da mamãe neste momento. Sei que eu estou.

Véspera do Natal, 17:00

MODO COMPRAS

Existem dois perfis dentro do Modo Compras — o modo "vamos terminar logo com isso" e o modo "comprar é divertido". Grande parte dos modelos de Adulto do sexo masculino normalmente funciona apenas no modo "vamos terminar logo com isso", principalmente se estiver fazendo compras para a mulher ou para a namorada.

Há um tipo completamente diferente de Modo Compras que é o modo Rato de Liquidação — torça para que o seu Adulto não entre nesse ou antes que perceba estará frequentando todo tipo de venda de garagem ou cuidando de si mesmo enquanto ele passa dezoito horas seguidas no eBay.

Mamãe está na cozinha fazendo o jantar de hoje à noite e provavelmente tentando não pensar no que aconteceu hoje mais cedo em Oxford. Fomos fazer algumas compras de Natal de última hora.

Normalmente minha mãe é do tipo "vamos terminar logo com isso" quando vai comprar leite e pão no mercadinho. Mas hoje, em Oxford, ela estava totalmente entregue ao modo "comprar é divertido".

Passamos em diversas lojas, e ela se interessou por absolutamente tudo — nos dando conselhos sobre o que deveríamos comprar e nos dando mais dinheiro.

— Não gastem tudo na mesma loja! — dizia ela.

Entramos em uma loja que estava repleta de coisas natalinas — tipo decoração de Natal e presentes divertidos. Minha mãe amou. Era bom vê-la tão animada. Ela parecia estar se fartando quando experimentou um arco com galhadas de rena. Era feito de veludo com sinos pendurados.

— O que vocês acham? — perguntou ela, balançando a cabeça para que os sinos tocassem.

— Ficou muito bom — falei. Foi uma Mentira Inocente para deixá-la feliz, porque, na verdade, ela parecia ridícula. Mas eu não podia estragar a diversão dela. Nem Mandy nem Jack, que também disseram que tinha ficado muito bom.

Que grande erro.

Mamãe não apenas comprou o arco de galhadas como... *usou aquilo fora da loja*. O que, na minha opinião, era o Modo Cara Valente indo longe demais.

Para piorar, ela continuou usando aquilo quando fomos comer pizza. Então não me surpreendi quando nos sentamos e vi Ben Clayden e a família dele sentados três mesas depois da nossa. *Claro* que ele tinha que estar lá! Ele sempre está por perto quando algo constrangedor acontece comigo.

Se eu ainda tivesse controle sob minha mãe, eu teria conseguido pensar em algo inteligente para fazê-la tirar a galhada da cabeça em cinco segundos. Mas eu estava tão destreinada que não conseguia nem pensar em alguma coisa!

Por trás do gigante menu, dei uma espiada em Ben Clayden — ele estava devorando uma pizza de pepperoni. Em alguns segundos ele certamente iria notar que estávamos ali. Então do nada percebi uma coisa. E isso, pra mim, foi *algo*.

Percebi que ainda que minha mãe parecesse ridícula e ainda que eu tivesse que ser vista ao seu lado, *eu não queria que ela tirasse a galhada da cabeça*. Percebi que finalmente eu não me importava com o que Ben Clayden — nem com o que ninguém — ia pensar. Minha mãe estava feliz com aquela galhada na cabeça. E era isso que importava.

Então pedi pão de alho e salada. Quando Ben Clayden finalmente nos viu, acenei e dei um sorriso para ele. E percebi mais uma coisa. Eu estava respirando normalmente. Eu me sentia bem — não sentia muita coisa, na verdade. Não quero mais ser a mãe dos filhos de Ben Clayden! Mal posso esperar para contar para Hannah. Ela vai ficar de boca aberta.

Depois do almoço, fomos até os parques da universidade e andamos pela beira do rio — tinha sido ali que dissemos que levaríamos Stuart no dia do Plano Ardiloso. Só de ir até lá eu me senti muito culpada.

Estávamos todos enrolados em echarpes e chapéus de lã, esperando que pudesse nevar, quando uma coisa muito engraçada aconteceu. Encontramos tia Julie, que, é claro, estava com um dos seus possíveis pretendentes.

O homem com quem ela estava usava um grande chapéu de pele, um terno antiquado e um manto de veludo preto e longo preso na altura do pescoço por uma espécie de broche com pedras preciosas. Ele parecia um personagem de um daqueles programas de época que passa na televisão e a mamãe gosta. Ele segurava tia Julie pelo braço e na outra mão havia uma bengala com detalhes em prata na ponta! Ele tinha pelo menos 70 anos, e uma barba branca bem cheia.

— Oi! — disse tia Julie, nervosa. — Hector, essa é minha irmã e seus filhos. Alison, esse é Hector. Ele é professor na universidade de Oxford.

— Tia Julie — disse Jack —, por que você está num encontro com o Papai Noel? Ele não tem uns mil anos?

Não olhei para Mandy propositalmente ou teria começado a rir. Jack abriu a boca para dizer mais alguma coisa, provavelmente ainda pior.

— Bom, é uma pena, mas precisamos ir. Vejo você mais tarde, Julie — disse mamãe, apressada, agarrando Jack pela mão e saindo.

— Quer saber — disse ela enquanto saíamos andando e ela balançava sua galhada —, sempre pensei que Julie *exagerasse* quando contava sobre seus encontros às escuras.

— Vamos para o Westagate Centre — disse Mandy. — Tem gente lá embrulhando presentes de Natal para a caridade.

— Só se a fila não estiver muito grande — disse minha mãe.

As pessoas que embrulhavam presentes de Natal estavam sentadas em uma mesa comprida, usando gorros de Papai

Noel e montando pilhas de presentes embrulhados em troca de donativos para a caridade.

— Vou pedir que embrulhem todos os meus presentes e em troca darei dez pence — ouvimos um sujeito dizer na nossa frente. Ele tinha uma expressão perversa, com cara de fuinha.

— Acho que é preciso fazer uma doação mínima — disse o amigo dele com conhecimento de causa. — Precisam cobrir o que gastam com papel.

— Bem, darei o mínimo — disse o homem. *Nada como o espírito natalino*, pensei.

E foi quando avistei Stuart. Na fileira de embrulhadores, ele era a terceira pessoa usando gorro de Papai Noel. Estava ocupado embrulhando um kit de espuma de banho para uma senhora; ele enrolava o fitilho como um profissional e conseguia entretê-la ao mesmo tempo.

Fiquei bem chocada ao vê-lo. Enquanto o observava sendo tão gentil com aquela senhora, pensei que, se minha mãe tinha que namorar alguém, Stuart não era uma opção tão ruim. *Nunca* foi. Imagina se ela tivesse levado para casa aquele homem com cara de fuinha que queria dar apenas dez pence para a caridade? A gente bem que mereceria se tivesse acontecido.

Mamãe cravou os dedos no meu braço, o que queria dizer que ela tinha visto Stuart também.

— Vamos! — disse ela, arrancando sua galhada de rena com a outra mão.

— Ai! — protestei.

— Ir? Por quê? — disse Mandy. — Está quase na nossa vez.

Àquela altura, Jack tinha visto Stuart e começou a pular e acenar como um louco.

— Stuart! Stuart!

— *Vamos* embora — disse minha mãe assim que Stuart nos viu. A expressão animada no rosto dele desapareceu imediatamente.

Mamãe pegou meu irmão pela mão e começamos a nos afastar, com Jack gritando:

— Mas eu quero ver Stuart!

Enquanto tentávamos atravessar a multidão, olhei em volta e vi que Stuart havia se levantado e estava esticando o pescoço para tentar ver onde estávamos.

Ele não veio atrás da gente, entretanto. Provavelmente não podia abandonar a senhorinha e seu kit com espuma de banho semiembrulhado. Tirariam o gorro de Papai Noel dele se o fizesse.

Sabe, se a vida fosse como Hollywood, ele teria vindo correndo atrás da gente, derrubando as sacolas de presentes de todo mundo. Mas a vida não é como nos filmes, não é mesmo?

Véspera do Natal, 22:11

MODO DELIRANTE

O Modo Delirante é como o Modo Feliz, mas os sentimentos positivos são multiplicados por, tipo, mil. Não ocorre com muita frequência e pode levar ao Modo Descuidado, então tenha certeza de que observará seu Adulto de perto em tais circunstâncias.

Mal posso acreditar que estou dizendo isso, mas mamãe está feliz — mais que feliz. Ela está fantasticamente, brilhantemente extasiada, e não tem nada a ver comigo! E eu nem me importo!

Provavelmente por isso essa é uma das últimas anotações neste Manual/Guia de Sobrevivência. Depois disso, sobre o que mais posso escrever? Quero dizer, eu percebi que, se você ignorar totalmente as minhas recomendações, será a melhor decisão que já tomou. Duvido que um dia isso seja publicado. E se for, talvez eu seja processada por fingir que sou uma especialista.

Eis o que aconteceu.

Tia Julie, tia Susan e tio Dave chegaram com Hannah e Matthew por volta das seis da tarde. A expressão nos rostos deles quando abrimos a porta e o cheiro da comida os atingiu foi hilária. Gostaria de ter uma câmera à mão para registrar o olhar de completo horror.

Tia Julie saiu correndo em direção à cozinha.

— Preciso *muito* de um drinque! — Ela suspirou. — Aquele... *sujeito!* No anúncio ele dizia ter mais ou menos *40 anos!* Eu não esperava encontrar um aposentado!

Mamãe serviu uma taça cheia de vinho para ela.

— Por falar em aposentados... — disse minha mãe. — Mamãe e papai também vêm.

Naquele instante, a campainha tocou e lá estavam vovó e vovô Williams. O vovô estava brandindo uma abóbora, por nenhuma razão aparente.

— O que acham *disto*, hein? — disse ele, como se fosse o mesmo que dizer oi.

Acho que o olfato das pessoas mais velhas não é muito bom, considerando que eles não pareceram muito incomodados com os odores estranhos que saíam da cozinha.

— Sentem-se à mesa, vamos — disse minha mãe. — É um jantar!

Dava para perceber que ela estava se esforçando para mostrar a todos que estava bem, ainda nos Modos Cara Valente e Determinado, mas aquela interpretação de felicidade não me enganava. Ela sorria e dizia todas as coisas certas e animadas. Mas ainda havia tristeza em seu olhar.

Não temos a maior das casas nem uma sala de jantar adequada, então mamãe juntou a mesa da cozinha com uma outra mesa dobrável para termos uma grande mesa no salão.

O sofá foi empurrado contra a parede para abrir espaço, então precisávamos escalar os demais para chegar ao nosso lugar na mesa, que variavam em altura e estilo.

Eu estava em uma cadeira de escritório que normalmente ficava na mesa do computador.

Quando conseguimos todos nos sentar e cada um estava com a sua bebida, mamãe chegou com a entrada.

— Vocês já experimentaram bruschettas de geleia de enguia? — perguntou ela.

Não sei como conseguimos, mas todos comemos a entrada. Tenho certeza de que permanecerá em nossas lembranças por muitos e muitos anos. Vovó trouxe algumas garrafas de espumante, que rapidamente desapareceram.

— Acho que ajuda a disfarçar o gosto — sussurrou tia Julie, enquanto se servia da terceira taça da noite.

Já que eu não podia beber, só me restava ir até meu quarto e bochechar com antisséptico bucal de menta.

Eu tinha acabado de voltar para a sala e me preparava mentalmente para o prato principal quando a campainha tocou. Tia Susan foi atender.

— Ah! Que surpresa! — a ouvimos dizer, e logo em seguida Stuart estava parado na sala. Rascal correu como um raio na direção dele; parecia um míssil pequeno, branco e peludo que começou a pular em Stuart loucamente, latindo de alegria e excitação. Era como se ele tivesse voltado a ser um filhote.

Em meio àquela comoção, mamãe surgiu da cozinha com uma caçarola.

— Stuart! — gritou ela, e pôs o prato com cuidado na mesa. Secretamente, desejei que ela tivesse deixado o pirex cair, pois era um momento muito emocionante. Mas não tive sorte.

Stuart olhou ao redor, encarando cada um de nós.

— Tenho algo a dizer — disse ele — e preciso que todos vocês ouçam. Com exceção de Jack, quase todos aqui deixaram bem claro que não me queriam nesta família, então me afastei.

"Achei injusto que Alison tivesse que ficar no meio disso tudo. Mas tive tempo para pensar, e querem saber de uma coisa? Se eu tiver que aguentar vocês para poder ficar com Alison, então assim será. Vou aguentar tudo que vocês jogarem em cima de mim."

Então ele olhou para a mamãe.

— Eu te amo. Eu te amo desde que a vi pela primeira vez. Se você ainda me quiser, eu sou seu. Mas de agora em diante, terei que ser honesto com você. Se eu não disser isso agora, talvez eu nunca diga, e isso precisa ser dito. Você é a *pior* cozinheira que já conheci. Você nem imagina o quanto é horrível nisso... Você é muito, muito *ruim*!

Àquela altura, minha mãe sentou, chorando e com as mãos sobre o rosto.

— Está tudo bem — disse tia Julie, acariciando o ombro da minha mãe e olhando para Stuart. — Ele já vai embora.

Mamãe levantou a cabeça, os olhos inchados e o nariz vermelho. *Nada* atraente.

— Mas eu não quero que ele vá — gemeu ela. — Quero que ele fique!

Stuart não parecia se importar com o olho mutante inchado da minha mãe e o nariz de Rudolf, a Rena de Nariz Vermelho (que aliás era bastante convincente, porque ela usava seu arco de galhada). Ele a encarava com uma expressão adorável.

— O que *eu* quero saber... — disse Vovó, que estava levemente alcoolizada por causa do espumante. — É por que você está aqui chateando minha filha em vez de passar o Natal com a sua própria família. Ou família não quer dizer nada para você?

Stuart olhou para o teto, desesperado. Exatamente como um professor faz quando um aluno diz ou faz alguma coisa totalmente idiota. É engraçado, mas eu conheço aquele olhar muito bem.

Antes que ele pudesse dizer qualquer coisa, mamãe ficou de pé.

— Você se importa? — disse ela, olhando para Stuart.

— Tudo bem — disse ele. — Pode contar.

Mamãe deu um pigarro.

— Stuart foi para um orfanato aos 6 anos. Seus últimos pais adotivos o pegaram com 16 anos e ele não ficou com eles por muito tempo. São *esses* os "pais" que ele visita algumas vezes por ano.

Todos nós olhamos para Stuart, cujo rosto estava vermelho. Eu podia notar que aquilo era difícil pra ele. Então finalmente ele falou:

— Passei anos sem conseguir sentir que pertencia a algum lugar. Meus pais adotivos, os últimos que eu tive, me ajudaram a ser alguém. Mas embora eles sejam amigos fantásticos e terem minha eterna gratidão, não são minha família. Não tenho família.

"Quando conheci Alison e todos vocês, e vi como vocês cuidam uns dos outros, mesmo quando se enlouquecem mutuamente, senti que eu estava vendo algo especial."

Então ele olhou diretamente para a minha avó, que estava — talvez pela primeira vez na vida — parecendo envergonhada.

— Você pode dizer muitas coisas sobre mim que provavelmente estarão certas, mas *nunca* me diga que eu não me importo com a família. Acredite ou não, me importo muito com a de vocês.

Houve um longo silêncio.

Tio Dave se levantou.

— Vou pegar outra cadeira pra gente lá em cima. Por que não fica com essa, amigão?

Stuart sentou. Mamãe, que parecia mais feliz do que já esteve na vida, levantou a tampa do pirex. Um fedor indescritível atravessou a mesa.

— Não acredito que esteja dizendo que eu não sei cozinhar! — disse ela, em um tom de desafio enquanto misturava a indefinida mistura com uma colher. — Todos *adoram* a minha comida!

Mandy, que estava sentada ao lado da minha mãe, colocou o braço no ombro dela.

— Escute, mãe, tem uma coisa que temos tentado contar para você...

As pizzas chegaram meia hora depois.

Véspera do Natal, bem mais tarde

Mais tarde, Jack desapareceu e depois entrou correndo no quarto dizendo que estava nevando! Todos nós voamos lá para fora e ficamos parados no jardim, maravilhados.

Independentemente de quantas vezes aconteça, a neve sempre te pega de surpresa. Há algo de mágico naquilo. E essa neve foi perfeita, flocos grandes caindo bem devagar até repousarem no chão. Já havia alguns centímetros de neve no chão. Ela devia estar caindo silenciosamente há pelo menos uma hora, por aí.

Ficamos parados curtindo o momento. Jack dançava como um elfo louco. Até Mandy estava sorrindo.

Vi que Stuart havia colocado o braço ao redor do ombro da mamãe e ela tinha se aconchegado nele. Senti uma pontada de tristeza por ser Stuart e não meu pai, mas pelo menos ela estava feliz.

Parecia ser um bom momento, então fui em direção a ela.

— Posso falar com você um instante? — perguntei.

— Claro! — disse ela, se desvencilhando de Stuart. Nós nos afastamos dos outros, e ela pôs a mão sobre o meu ombro.

— Eu preciso dizer o quanto estou arrependida — comecei — pelo que fiz. Vou me esforçar mais... sabe... com Stuart e tal.

— Katie, esse é o *melhor* presente de Natal que você poderia me dar! — disse minha mãe, sorrindo de orelha a orelha antes de me dar um grande abraço. Stuart nos observava e abriu um sorriso largo, porque percebeu que o que eu disse tinha deixado minha mãe feliz. E se isso é o que ele mais quer, deixar minha mãe no Modo Feliz... tudo certo por mim.

Era possível ouvir gritos e pisadas na neve quando a campainha tocou. Era Loops. Ela usava umas seis echarpes, luvas e um chapéu de lã, que lhe dava um ar engraçado por causa dos cachos do seu cabelo.

— Guerra de bola de neve no parque! — gritou ela, sem ar, tamanha a animação. Essa é uma das coisas boas de morar numa cidadezinha como Brindleton: somos muito bons em inventar nossas próprias brincadeiras!

Hannah, Jack e eu nos enfiamos em nossos casacos e chapéus, e seguimos Loops pela rua. Havia um monte de crianças por lá, acertando umas às outras com bolas de neve.

Neil Parkhouse veio correndo e jogou uma bola de neve no casaco de Hannah. Ela gritou bem alto e depois o perseguiu pelo parque. Loops e eu ficamos presas em meio às bolas de neve, embora tenhamos sido atingidas muito mais do que atingimos os outros.

Então Jonathan apareceu. Comecei a me sentir sobrando quando ele e Loops brincaram de jogar bolas um no outro.

— Você sabia — disse Jonathan — que é um mito o fato de que é preciso estar muito frio demais para nevar? Embora seja preciso dizer que grande parte das nevascas ocorra quando o ar está acima de nove graus Celsius negativos.

— Ele é tão *inteligente*! — sussurrou Loops, orgulhosa.
— Ele sabe *tudo*!

Ela jogou uma grande bola de neve nele e saiu correndo
e rindo. Jonathan parou de dar aula sobre a neve e fez algo
bem mais inteligente: correu atrás de Loops.

E eu fiquei sozinha, o que não me incomodou. Quero
dizer, eu me acostumei a isso nos últimos tempos. Um
mês inteiro sem amigos foi o pior momento da minha
vida, mas fez com que eu percebesse algumas coisas sobre
mim mesma. E isso não é ruim. Eu percebi que não sei
todas as respostas. E a maneira como você trata os outros
— como dizia meu pai — é o que realmente importa. Só
precisamos de amor.

Então percebi que eu não estava mais sozinha. Thomas
Finch estava parado ao meu lado, sem dizer nada. *Para
variar um pouco*, pensei.

Ele continuou lá parado, sem dizer uma única palavra.

— Oi — falei finalmente, e sorri para ele. Era Natal.
Estava nevando. Eu não podia ficar zangada com ele para
sempre.

Ele retribuiu, com aquele sorriso incrível e tímido dele.
Então, pôs a mão no bolso e de lá tirou um pequeno pacote amassado e embrulhado de maneira desajeitada em
um papel natalino. Ele praticamente jogou o embrulho
na minha direção.

— Você comprou um *presente* pra mim? — perguntei,
surpresa. — Devo abrir agora?

Ele deu de ombros, muito envergonhado, é claro. Rasguei
o papel. Havia uma pequena caixa, e dentro dela o mais lindo
chaveiro de vidro vermelho em formato de coração.

Foi quando eu finalmente entendi por que Thomas consegue conversar com Loops, mas acha tão difícil falar comigo. O vidro brilhava na palma da minha mão.

— Obrigada pelo presente — falei. Então fiquei na ponta dos pés e o beijei. E ele me beijou também. O que vem a ser a melhor coisa que aconteceu comigo no ano.

Véspera do Natal, ainda bem tarde

MODO FILOSÓFICO

O Modo Filosófico ocorre quando um Adulto pergunta coisas importantes sobre o universo, como "Por que estamos aqui?" ou "Os animais têm alma?" ou "Onde pus as chaves do carro?".

O Modo Filosófico muitas vezes pode estar acompanhado pela Crise da Meia-Idade. Tente desencorajar esse tipo de comportamento no seu Adulto, pois ele tem um risco de constrangimento bem alto.

Tenho a sensação de que Stuart será um dos tipos de Adulto que entra no Modo Filosófico e normalmente pensa demais. Já posso ver os sinais. Há a preocupação dele com o meio ambiente e o futuro da humanidade, por exemplo.

Definitivamente terei que por isso na cabeça se irei aprender a operá-lo. Para seu próprio bem, ele é profundo demais. Felizmente ele tem a mim, uma bela fútil, para entendê-lo. Aquela gravata de tricô amarela precisa ser descartada, para começar.

Em algumas horas começa o Natal, e esse vai ser bom. Uma das razões: vou ganhar aquele celular que quero há tempos.

E, para melhorar, agora que mamãe aposentou seu avental, Mandy e eu estamos planejando fazer um peru *seguindo a receita de um livro*. Não sei como ficará, mas vamos dizer a verdade: as coisas só podem ficar melhores.

Mamãe e Stuart estão lá em cima no quarto dela, conversando. Eles têm muito o que colocar em dia.

Jack está enfiado na cama, com sua comprida meia para fora para que Papai Noel possa enchê-la de presentes. Mandy está vendo televisão enroscada em Rascal, que parece extremamente elegante com fios dourados presos na coleira.

E eu estou enrolada escrevendo isso, me sentindo bastante filosófica, para ser sincera.

Não tenho ideia do que o futuro reserva para mamãe e Stuart, ou para nenhum de nós.

Não sei se tia Julie um dia encontrará um namorado que não seja maluco, estranho, ou que não esteja com 90 anos.

Não sei se minha avó vai parar de espalhar fofocas pela cidade — embora eu *saiba* agora que ela é capaz de manter um segredo, basta pedir.

Não sei se Jack um dia vai parar de se sentir imensamente orgulhoso por arrotar. Espero, pelo bem dele, que isso aconteça antes de ele completar 40 anos.

Não sei se Mandy um dia vai contar a Joshua Weston o quanto gosta dele.

E não sei se um dia se passará sem que eu pense no meu pai.

Só tenho certeza de uma coisa: todo fim é também um começo. E quer saber de uma coisa? Eu gosto de começos.

UM ÚLTIMO CONSELHO IMPORTANTE

Seu Adulto é um equipamento delicado e complexo, suscetível a mau funcionamento e a defeitos. Por favor, tenha cuidado e delicadeza ao lidar com ele.

Um dia você também será um Adulto. Talvez até tenha alguns filhos. Se isso acontecer, vamos torcer para que eles encontrem este guia em alguma gaveta empoeirada por aí antes que você fique totalmente fora de controle.

Este livro foi composto na tipologia Minion Pro
Regular, em corpo 12/16, e impresso em papel
off-white no Sistema Cameron da Divisão
Gráfica da Distribuidora Record.